Cheyennes Lieblingshund

KALLE

meine beste Freundin

Cheyenne Wawrceck

Lotta Petermann

Cheyennes kleine Schwester

Chanell Wawrceck

meine Mama

meine indische Blockflöte

Sabine Petermann

mag Ajudingsbums-Gekoche

Paul Kohlhase

Mitglieder unserer Bande:
DIE WILDEN KANINCHEN

kommt aus Frankreich

Rainer Petermann

Rémi Dubois

mein Papa ↑ Lehrer

Heesters? Keine Ahnung, wo der gerade ist.

meine Blödbrüder
Zwillinge nämlich

Jakob und Simon Petermann

Alice Pantermüller
Daniela Kohl

Mein Lotta-Leben
Da lachen ja die Hunde!

Weitere Bücher von Alice Pantermüller im Arena Verlag:

Mein Lotta-Leben. Alles voller Kaninchen (1)
Mein Lotta-Leben. Wie belämmert ist das denn? (2)
Mein Lotta-Leben. Hier steckt der Wurm drin! (3)
Mein Lotta-Leben. Daher weht der Hase! (4)
Mein Lotta-Leben. Ich glaub, meine Kröte pfeift! (5)
Mein Lotta-Leben. Den Letzten knutschen die Elche! (6)
Mein Lotta-Leben. Und täglich grüßt der Camembär (7)
Mein Lotta-Leben. Kein Drama ohne Lama (8)
Mein Lotta-Leben. Das reinste Katzentheater (9)
Mein Lotta-Leben. Der Schuh des Känguru (10)
Mein Lotta-Leben. Volle Kanne Koala (11)
Mein Lotta-Leben. Eine Natter macht die Flatter (12)
Mein Lotta-Leben. Wenn die Frösche zweimal quaken (13)
Mein Lotta-Leben. Da lachen ja die Hunde! (14)
Mein Lotta-Leben. Wer den Wal hat (15)

Mein Lotta-Leben. Alles Bingo mit Flamingo! (Buch zum Film)

Linni von Links. Sammelband. Band 1 und 2
Linni von Links. Alle Pflaumen fliegen hoch (3)
Linni von Links. Die Heldin der Bananentorte (4)

Poldi und Partner. Immer dem Nager nach (1)
Poldi und Partner. Ein Pinguin geht baden (2)
Poldi und Partner. Alpaka ahoi! (3)

Bendix Brodersen. Angsthasen erleben keine Abenteuer
Bendix Brodersen. Echte Helden haben immer einen Plan B

www.mein-lotta-leben.de

Alice Pantermüller

wollte bereits während der Grundschulzeit „Buchschreiberin" oder Lehrerin werden. Nach einem Lehramtsstudium, einem Aufenthalt als Deutsche Fremdsprachenassistentin in Schottland und einer Ausbildung zur Buchhändlerin lebt sie heute mit ihrer Familie in der Lüneburger Heide. Bekannt wurde sie durch ihre Kinderbücher rund um „Bendix Brodersen" und die Erfolgsreihe „Mein Lotta-Leben".

Daniela Kohl

verdiente sich schon als Kind ihr Pausenbrot mit kleinen Kritzeleien, die sie an ihre Klassenkameraden oder an Tanten und Opas verkaufte. Sie studierte an der FH München Kommunikationsdesign und arbeitet seit 2001 fröhlich als freie Illustratorin und Grafikerin. Mit Mann, Hund und Schildkröte lebt sie über den Dächern von München.

Alice Pantermüller

MEIN LOTTA-LEBEN
Da lachen ja die Hunde!

Illustriert von Daniela Kohl

Arena

Für Dich. ♡
Alice und Daniela

5. Auflage 2020
© 2018 Arena Verlag GmbH,
Rottendorfer Str. 16, 97074 Würzburg
Alle Rechte vorbehalten
Einband, Satz und Illustrationen: Daniela Kohl
Gesamtherstellung: Westermann Druck Zwickau GmbH
ISBN 978-3-401-60333-9

www.arena-verlag.de
Mitreden unter forum.arena-verlag.de

SONNTAG, DER 27. MAI

Worauf freut ihr euch eigentlich am meisten?

hat meine beste Freundin Cheyenne gefragt und ist auf ihrer Holzkiste hin und her gerutscht.

Also, ich bin am gespanntesten auf morgen. Wenn wir ins **Tierheim** gehen!

Ich auch! hab ich schnell geantwortet und dann Paul und Rémi angeguckt.

Wir hatten uns heute nach der Schule alle zusammen im Bandenquartier der WILDEN KANINCHEN verabredet, in Pauls Baumhaus.

Draußen war es nämlich voll schön und warm und die Vögel haben gepiept.

♪ piep ♪

Strickleiter zum Hochklettern

Und du freust dir nischt auf die Besuch bei deine Papa? hat Rémi mich gefragt.

Schooon hab ich ein bisschen zögerlich gesagt.

Aber nicht so doll wie aufs Tierheim.

Ehrlich gesagt hab ich mich fast überhaupt nicht darauf gefreut, dass unsere Klasse Papa nächste Woche in seiner Schule besucht.

Manchmal benimmt sich Papa nämlich voll **PEINLICH** und

← Papa im Clownskostüm

altmodisch.

blablablabla blablabla blablabla blabla blablabla blablabla

Außerdem hält er immer so lange Lehrervorträge!

Und dabei wollte Papa zuerst gar nicht mitmachen bei der PROJEKTWOCHE **Wir lernen die Berufe unserer Eltern kennen.** Weil ja sowieso jedes Kind Schulen und Lehrer kennt, hat er gesagt. Aber weil ganz viele andere Eltern auch nicht mitmachen wollten, hat er schließlich doch zugestimmt. **Menno.** ☺

6

Und ich kann den Freitag kaum erwarten! Weil wir da meine Mutter am Flughafen besuchen, beim **ZOLL!**

hat Paul dann gerufen und seine Augen  haben geleuchtet.

Ja, Flug'afen isch auch finde sähr, sähr interessant!

hat Rémi bestätigt und dabei genickt.

Ich auch! hab ich noch mal ge-sagt, weil ich eine Fahrt zum Flughafen auch spannend finde.

Überhaupt wird die ganze nächste Woche bestimmt voll gut. Wir werden nämlich keinen Unterricht haben 😊 und stattdessen jeden Tag irgendwelche Eltern bei der Arbeit besuchen.

Wie zum Beispiel:

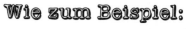 meinen Vater.

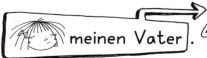

Papa mit seiner bayeri-schen Bierkrugsammlung

Papa, der Naturfreund

Oh Mann, hoffentlich blamiert der mich nicht vor der ganzen Klasse!

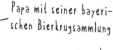

7

Liv-Gretes Mutter.
Die hat einen
Hundefrisörsalon.
Das wird sicherlich lustig.

Berenikes Vater.
Das stelle ich mir eher
langweilig vor, weil
der nämlich Richter ist.

Pauls Mutter,
die am Flughafen arbeitet.
Darauf freue ich mich
schon total!

Und dann noch ein paar andere, die ich
jetzt gerade vergessen hab.

Leider müssen wir allerdings auch jeden Tag einen
BERICHT schreiben. Wir haben nämlich momen-
tan das Thema **Berufe** in der Schule, weil wir

irgendwann mal ein Praktikum machen sollen.
Und deshalb müssen wir uns nach jedem Besuch
überlegen, was wir an einem Beruf
interessant finden und was nicht so.

Was wollt ihr eigentlich später mal machen?
hab ich meine Freunde daher gefragt und sofort
haben Pauls Augen wieder geleuchtet.

Auf jeden Fall irgendwas mit Flugzeugen,
so wie meine Mutter! Vielleicht auch
Sicherheitschef beim Zoll oder ich
werde Ingenieur oder Pilot oder ...

Ich will was mit Tieren machen
hat Cheyenne bestimmt erklärt.

Vielleicht im Tierheim.

Ich auch! hab ich da schnell gerufen,

obwohl ich noch nicht ganz sicher bin.

Isch ... isch ... vielleischt Arscheoloschie oder so.
Isch mag in Erde alte Sachen ausgraben.

Aber isch weiß noch nischt

hat Rémi nach kurzem Zögern gesagt.

Danach war es kurz still.
Nur die Vögel haben gepiept.

Das muss man auch noch
nicht wissen, wenn man in die
sechste Klasse geht, so wie wir

hab ich Rémi dann erklärt.

Weil ich ja auch noch am Überlegen bin. Bisher weiß ich nur genau, was ich **ganz bestimmt nicht** werden will: nämlich

oder Clown.

hat Cheyenne gekichert und da mussten wir alle lachen.

Weil Karl-Ole der Sohn vom Bürgermeister ist und ganz genau weiß, dass er mal das Gleiche machen will wie sein Papa.

11

Dann hat Paul wieder angefangen, von seiner Mutter und ihrer Arbeit zu erzählen. Er war fast ein bisschen **aufgeregt**, und zwar weil sie wirklich Sicherheitschefin beim **ZOLL** ist. Da hört man ja schon am Namen, dass das ein toller Beruf ist und voll wichtig.

„Komisch", hat Cheyenne irgendwann gemeint, während sie einen kleinen Vogel beobachtet hat, der draußen auf einem Ast saß.

Und ich hab immer gedacht, deine Mutter ist Köchin.

Köchin? Warum denn das?

piep

hat Paul gequiekt und voll die Augen aufgerissen.

Na ja, weil sie so gute Weihnachtskekse backen kann. Und auch andere Sachen. Als wir mal bei dir waren, hat sie so einen köstlichen Topf gemacht. So einen ... äh ...

... Eintopf?

Genau! Mit Hühnchen drin!
hab ich gerufen.

Nee, das waren doch Pilze.
Cheyenne hat den
Kopf geschüttelt.

**Hühnchen und Pilze. Und es hat über-
haupt nicht indisch geschmeckt.**

Nicht wie bei Mama.

Ajudingsbums-Gekoche

CURRY

Ich hab mir die Lippen geleckt.

**Hmmm! Das war voll
der leckere Eintopf!**

Warum kocht Pauls Mutter ein Topf?
hat Rémi verwirrt gefragt.

**So nennt man solche Essen, wo
alle möglichen Sachen in einem
Topf mit Soße zusammengematscht
werden. Und Frau Kohlhase
macht die besten Eintöpfe**

hat Cheyenne ihm erklärt.

Zum Beispiel Hühnchen und Pilze und Nudeln oder so.

iiih!   hihi

Oder Kamelboller mit Fleischklöß-chen in Blaubeersuppe. Das ist dann ein schwedischer Eintopf.

Hihi! Knäckebrot mit Salzlakritz und Elchpipi!

chihihi

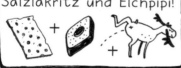

hihihiii

Oder Fischstäbchen und Rosen-kohl in Koala-Cola-Soße!

Dann konnten Cheyenne und ich nicht weiterre-den, weil wir voll losgelacht haben.

Vor allem weil Rémi so entsetzt geguckt hat, dass sogar Paul grinsen musste.

HAHAHA! HAHAHA!

Anschließend haben wir uns dann nicht mehr über Berufe unterhalten. Und auch nicht über Eintöpfe. Stattdessen sind wir runter in den Garten gegangen und haben Krocket gespielt. Das war voll schön, weil die Sonne geschienen hat und die Vögel haben gesungen.

MONTAG, DER 28. MAI

Die besten Schultage sind die, an denen man
keinen Unterricht hat, weil man zum Beispiel
einen Ausflug macht oder ein Fest feiert.

Zum Glück haben wir ja ab heute eine ganze
Woche mit solchen Tagen und der beste Ausflug
fand gleich am ersten Tag statt, der ins

TIERHEIM

Dorthin, wo

mein **LIEBLINGSHUND** wohnt.

ANTON

blinker

Ich hab mich so darauf gefreut,
dass es mir richtig im Bauch
gekribbelt hat, als ich
morgens aufgestanden und
dann zur Schule gelaufen bin,
wo wir uns alle getroffen haben.

16

Von dort aus sind wir ein paar Stationen mit
dem Bus gefahren und das letzte Stück sind wir
dann gelaufen.

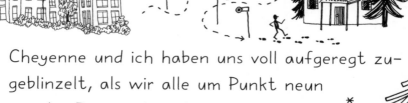

Cheyenne und ich haben uns voll aufgeregt zu-
geblinzelt, als wir alle um Punkt neun
vor der Eingangstür standen.

Weil drinnen die Hunde ganz
laut zur Begrüßung gebellt
haben und ich meinen
süßen schwarzen
Lieblingshund **ANTON**
sofort rausgehört hab!

WÖFF

WEFFWEFF WEFFWEFF

WEFF

WÖFF
WÖFF
WÖFF

WUW WUUH

waff waff wuff

wuff
wuff
wuff

baff
baff

blinker

TIER

WEFF WEFF

Und Cheyenne ihren Liebling **KALLE**.
Glaub ich jedenfalls.

arffarff

Aber bevor wir endlich reingehen durften, hat sich unsere Klassenlehrerin Frau Kackert noch einmal zu uns umgedreht und **streng** über ihre Brille geguckt, damit wir leise werden.

Wenn wir das Tierheim gleich betreten, will ich, dass ihr euch ruhig verhaltet und den Anweisungen von Herrn Lundelius folgt. Er wird euch alles erklären, was für die Arbeit mit den Tieren wichtig ist

hat sie dann gesagt, als alle still waren.

Und da haben Cheyenne und ich uns wieder ☉⌣ angeblinzelt. Weil wir das ja alles längst wissen.

Schließlich sind wir seit ein paar Wochen fast jeden Nachmittag hier gewesen und fast schon

TIERHEIMPROFIS!

Ihr wisst, dass ihr für jeden Tag unseres Projekts **Wir lernen die Berufe unserer Eltern kennen** einen kleinen Bericht abfassen müsst. Also hört gut zu, was Herr Lundelius euch erzählt!

hat Frau Kackert dann noch hinzugefügt und dabei vor allem die **Rocker** ganz streng angeguckt, also

Maurice, Finn, Timo und Benni.

Hier arbeiten doch überhaupt keine Eltern! hat Cheyenne mir zugeflüstert.

Und da hatte sie recht. Denn **Herr Lundelius** ist ja kein Vater von jemandem aus der Klasse, sondern Sozialpädagoge an unserer Schule, der **Günter-Graus-Gesamtschule.**

Das ist so einer, der Schülern hilft, wenn sie Probleme haben. Und außerdem arbeitet er ehrenamtlich im Tierheim. Und weil ja die meisten unserer Eltern keine Lust dazu hatten, dass wir sie bei der Arbeit besuchen, hat sich Herr Lundelius bereiterklärt, uns durchs Tierheim zu führen und Fragen zu beantworten.

Endlich hat Frau Kackert die Eingangstür geöffnet und wir konnten reingehen. Sofort war das Hundegebell noch lauter.

wuff wuff wuff WEFF WEFF WÖFF

Puh! Es stinkt! hat Liv-Grete gestöhnt und die Nase gerümpft und auch ein paar andere aus der Klasse haben **UARGH** und solche ✺-geräusche gemacht.

Hier riecht es wie bei Karl-Ole zu Hause hat Maurice geraunt.

höhöhö

hehehe

höhöhö

Die **Rocker**
haben gelacht,

aber Frau Kackert hat sich zu ihm umgedreht
und einen Finger gehoben.

Maurice, erste Verwarnung!
Bei drei schreibst du das
komplette Tierschutzgesetz
aus dem Bundesgesetzbuch ab!

Da hat Maurice erst mal nichts mehr gesagt.

• Und dann kam auch schon Herr Lundelius aus
dem Büro und hat uns begrüßt. Er hat gleich
angefangen, von den Tieren zu erzählen, die hier
leben. Wo sie herkommen und dass einige von
ihnen krank waren, als sie angekommen sind,
und als Erstes gesund gepflegt werden mussten.

Ohne ehrenamtliche Helfer und Spenden wäre
das alles nicht zu schaffen. Aber zum Glück
gibt es immer wieder gute
Menschen wie eure Klassen-
kameradinnen Lotta und
Cheyenne, die gern vorbei-
kommen und mit anpacken.

Dabei hat er Cheyenne und mir zugelächelt und gezwinkert.

Mir ist so heiß im Gesicht geworden, dass ich gar nicht wusste, wohin ich gucken sollte.

Aber Cheyenne war voll **cool**.

Sie hat sich zwischen vorne durchgequetscht Paul und Rémi nach und dann laut erklärt:

Am besten, Lotta und ich zeigen euch erst mal die Hunde!

Genau das haben wir dann auch gemacht.

Als Erstes sind wir zu Cheyennes Liebling **KALLE** gegangen. Der ist klein und schwarz und sieht aus wie eine 🖌️—— Bürste.

Ist der nicht megasüß? hat Cheyenne geschwärmt und eine Hand durchs Gitter gesteckt.

Das durfte sie natürlich nur, weil sie Kalle schon gut kennt und weiß, dass er niemanden beißt. Auch Kalle hat Cheyenne gleich wiedererkannt. Fiepend ist er am Gitter hochgesprungen und hat ganz fröhlich ihre Hand geleckt. Kalle ist wirklich ein süßer Hund.

fiep fiep

Fast so süß wie ANTON. Aber nur fast!

„Den will ich so schrecklich gerne haben!", hat Cheyenne den anderen erklärt, die um sie herumstanden, und geseufzt und Kalle hinter den Ohren gekrault.

seufz

Am Wochenende frag ich meinen Papi, ob ich darf. Oder vielleicht auch schon heute. Bestimmt erlaubt er das!

kratz kratz kratz

Da war ich mir aber nicht so sicher. Und zwar weil Cheyennes Mami schon Nein gesagt hat, dass sie Kalle bekommt. Allerdings sind ihre Eltern geschieden und wohnen nicht zusammen. Und deshalb ist es vielleicht trotzdem möglich, dass einer von ihnen was erlaubt, was der andere verbietet.

Ach du grüne Neune hat in dem Moment Berenike von Bödecker mit ihrer hochnäsigen Stimme gemurmelt. Dann hat sie ihren **LÄMMER-GIRLS** zugewispert:

Meine Eltern würden in Ohnmacht fallen, wenn ich mit so einer Promenadenmischung aus dem Tierheim ankommen würde. Schließlich haben wir zu Hause zwei Möpse aus einer bekannten englischen Zucht. Pompey und Pugsley!

Natürlich haben Liv-Grete, Emma und Hannah sofort losgekichert.

Diese dämlichen Zuchtmöpse!

Aber zum Glück hatte Herr Lundelius auch zugehört. „Keines unserer Tiere kommt von einem
Züchter", hat er Berenike ganz ruhig erklärt.

Und viele von ihnen haben Schlim-
mes erlebt. Aber schau sie dir an:
Meinst du nicht auch, sie haben
ein schönes Zuhause verdient?

Da ist Berenike knallrot angelaufen.
Verlegen hat sie auf den Boden geguckt.

Und ich war **total stolz** auf
Herrn Lundelius und darauf, dass er fast so was
wie ein Freund von Cheyenne und mir ist!

Sogar die **Rocker**
fanden ihn cool, glaub ich.
Aber wahrscheinlich haben denen
einfach nur seine (langen Haare)
und die vielen (Tattoos)
an den Armen gefallen.

Die konnte man heute alle sehen, weil er seine
schwarze Lederjacke nicht anhatte, sondern nur
ein T-Shirt mit einem Affengesicht drauf.

Und da hab ich mich getraut, mich vor die ganze
Klasse zu stellen und allen zu erklären, dass
schwarze Tiere besonders schwer neue Besitzer
finde. Weil so viele Leute **ABERGLÄUBISCH** sind und
denken, dass schwarze Tiere **UNGLÜCK** bringen. Deshalb
wünsche ich mir zu meinem Geburtstag
Anton, nur Anton und sonst gar nichts.

Und dann bin ich ganz schnell zum nächsten
Käfig gegangen, in dem **MEIN**

schon auf mich gewartet hat. Der Kleine ist am
Gitter hin und her gelaufen und hat total süß
und lieb und wellig mit dem Schwanz gewedelt.

Ich mein das übrigens total ernst! Wenn ich Anton zum Geburtstag kriege, dann brauche ich kein anderes Geschenk mehr. **Nie wieder!**

Aber leider wollen weder Mama noch Papa einen Hund haben. Vielleicht muss ich die beiden nachts mal mit meiner **indischen** Blockflöte **beschwören**, damit sie es sich doch noch anders überlegen.

wir brauchen einen Hund

Wir brauchen einen Hund!

Isch schenke disch Anton ssu Geburtstag!

hat Rémi in dem Moment ganz übermütig gerufen und gegrinst und die ganze Klasse hat gelacht.

HAHAHAHA! HAHAHA! HAHAHA!

Alle außer Emma.

Weil die nämlich Rémis Freundin ist und es wohl nicht so gut findet, wenn er mir was schenken will. Auch wenn das mit Anton wahrscheinlich nur ein Spaß war.

Anschließend haben Cheyenne und ich unserer Klasse noch die anderen Tiere gezeigt und ein bisschen über sie erzählt. Und zwar damit sie auch ganz viel Mitleid mit den armen Tieren kriegen und ihre Eltern überreden, ein Tier aus dem Tierheim zu holen.

Zum Beispiel:

Jerry, den alten Schlittenhund, der ein Humpelbein hat

Willi und Maja,
die gefleckten Katzengeschwister

Blacky und seine Meerschweinchen-Freunde

Amanda, die Blaustirn-Amazone,
die leider keine Federn mehr am Hals hat

Ein Hängebauchschwein
ohne Namen

Anschließend hat Herr Lundelius uns allen die Außengehege gezeigt. Dort durften diejenigen, die Lust dazu hatten, die Ziegen

und die alten Ponys Mo

und Berta füttern.

Jule, die auch hier arbeitet, hat uns gezeigt, wie das geht. Und dann haben Cheyenne und ich mit ein paar anderen zusammen Heu und Rübenschnitzel an der Futterstelle verteilt.

Währenddessen hat Herr Lundelius die ganze Zeit von seinem Beruf im Tierheim erzählt. Auch von den Aufgaben, die nicht so schön sind, wie Gehege sauber machen,

und Kaninchen mit **DURCHFALL**.

Als wir uns ungefähr zwei Stunden später auf den Rückweg zur Bushaltestelle gemacht haben, waren Cheyenne und ich noch immer voll kribbelig.

Wir konnten gar nicht aufhören zu hüpfen.

Und zwar weil wir uns ja heute mal **am besten von allen ausgekannt haben!**

30

Außerdem hab ich gemerkt, dass ich auch **kribbelig** bin, weil wir morgen Papas Schule besuchen. ◡

Und davor **GRUSELT** es mich immer noch ein bisschen.

Lotta – ich bin dein Vater.

„Ich freu mich schon so auf Freitag", hat Paul Rémi schon wieder erzählt und übers ganze Gesicht gestrahlt. Die beiden liefen direkt vor uns.

Sie ist Sicherheitschefin beim Zoll!

Mann, Paul. ⊖ Das wussten wir ja wirklich alle so langsam mal!

Trotzdem hab ich Paul ein bisschen beneidet. Weil er voll stolz auf seine Mutter ist. Während ich erst morgen weiß, ob ich auch auf Papa stolz bin.

hmpf

PUH, HOFFENTLICH WIRD ES NICHT SO SCHLIMM!

MONTAG, DER 28. MAI. Nachmittags

Gleich nach dem Mittagessen bin ich zu Cheyenne gelaufen, um mit ihr zusammen unseren
Bericht über den Tierheimbesuch zu schreiben.
Normalerweise beeile ich mich nicht
so mit den Hausaufgaben, aber in
dieser Woche ist ja alles anders!

Hier wohnt Cheyenne

Cheyennes kleine Schwester Chanell hat neben
uns auf dem Fußboden ihres gemeinsamen Zimmers
gesessen und sich ihr Glitzer-Kuscheleinhorn an
die Brust gedrückt.

Ich will auch ein echtes Tier!
hat sie gequakt.

Klappe, Chanell! Wir müssen
Hausaufgaben machen!

hat Cheyenne
streng gesagt.

Und dann haben wir unsere Blätter mit den
Fragen rausgeholt, die wir beantworten müssen.

PROJEKTWOCHE (Klasse 6b)
Wir lernen die Berufe unserer Eltern kennen
----

1. Wo waren wir heute?
2. Wer war für uns zuständig?
3. Welchen Beruf haben wir kennengelernt?
4. Beschreibe den Beruf!
5. Was findest du an dem Beruf
   interessant / nicht interessant?

Es war nicht schwer, ganz viele Dinge zu finden, die die Arbeit im Tierheim interessant machen.

Nämlich:

☆ Anton →
⭐ Kalle
☆ Jerry
⭐ Amanda ...

Gib Küsschen!

schnurchel

Allerdings sind uns auch viele Sachen eingefallen,
die bei der Arbeit im Tierheim eher **blöd** sind.
Herr Lundelius hatte ja schon einiges darüber
erzählt: Vor allem kranke Tiere, die irgendwas
EKLIGES haben, und dreckige Käfige
sind nicht so schön. 😝   iiiik! ⟶

33

Als wir endlich fertig waren, hat Cheyenne ihren Schreibblock mit Schwung zugeklappt.

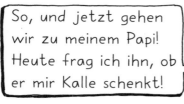

So, und jetzt gehen wir zu meinem Papi! Heute frag ich ihn, ob er mir Kalle schenkt!

flapp

hmpf

hat sie voll entschlossen gesagt.

Ich komm mit! Ich will AUCH EINEN Hund!

hat Chanell geschrien.

Ich war allerdings nicht so begeistert von der Idee, den (Papi) von Cheyenne und Chanell zu besuchen. Weil ich ihn irgendwie nicht besonders nett finde.

lapp lapp lapp

Außerdem hatte ich ein bisschen **Angst** davor, dass wir uns dann wieder um ihren kleinen Halbbruder ←Rocco kümmern müssen. Und der **brüllt** immer so viel rum.

Obwohl ich mich viel lieber mit den **WILDEN**  **KANINCHEN** getroffen hätte, bin ich dann aber doch mit Cheyenne, Chanell und dem **Glitzer-Einhorn** zu ihrem Papi gegangen.

Ich freu mich ja so auf Freitag. Meine Mama ist Sicherheitschefin beim Zoll. Blabla-blablablablabla ...

Allein wollte ich nämlich auch nicht zu Paul, weil das vielleicht ein bisschen langweilig gewesen wäre.

Auf dem Weg ist mir ein bisschen **MULMIG** geworden, und zwar weil ich wieder an ← **meinen** Papa denken musste, den wir ja morgen in der Schule besuchen.

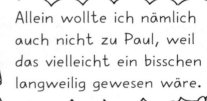

Du hast echt Glück, dass dein Papi nicht bei dem Projekt mitmacht

hab ich zu Cheyenne gesagt, aber da hat sie voll geseufzt.

Findest du? Also, ich würde das total cool finden, wenn alle aus der Klasse sehen könnten, was er arbeitet hat sie gesagt.

Was arbeitet er denn? hab ich gefragt, denn ich hatte echt keine Ahnung.

Cheyenne allerdings auch nicht. Sie hat nur mit den Schultern gezuckt.

Was weiß denn ich. Auf jeden Fall was Cooles. Sonst könnte er sich ja nicht so ein **teures Auto** leisten!

Glückskeksautor?

Golfballtaucher?

kreisch

Schrei-Coach für Heavy-Metal-Gruppen?

Ungefähr zehn Minuten später standen wir vor dem Mehrfamilienhaus und haben bei Guido Wawrceck und Jessica Kowalski geklingelt.

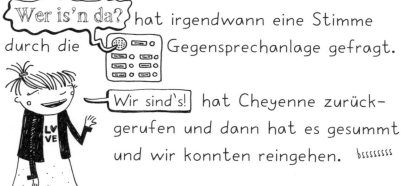

Wer is'n da? hat irgendwann eine Stimme durch die Gegensprechanlage gefragt.

Wir sind's! hat Cheyenne zurück-gerufen und dann hat es gesummt und wir konnten reingehen. bsssssss

Obwohl Cheyennes wohnt, haben wir geschoss gehört. Papi im zweiten Stock Rocco schon unten im Erd- **NEI!** hat er gebrüllt. **NEINEINEI!**

Oh. Chanell hat sich verwundert einen Finger in den Mund gesteckt.

Rocco kann ja sprechen!

Oben im Wohnzimmer hat Jessica gerade ver- sucht, ihrem Sohn voll niedliche kleine Turnschuhe anzuziehen. Rocco haben die allerdings nicht so gut gefallen.

NEI! hat er gebrüllt und sich gedreht wie ein Aal und um sich getreten und

dolz

dann hat er seiner Mutter mit einer Fernbedienung gegen den Kopf gehauen.

Aber als er uns gesehen hat, ist er sofort ruhiger geworden. Wahrscheinlich weil Cheyenne und ich so gut mit kleinen Kindern umgehen können.

"Gu!" hat Rocco gegluckst.
Dann hat er auf uns gezeigt
und ein bisschen gequiekt.

Da! DaDADAAAA!

„Ja, kleiner Rocco, hier kommen deine großen
Schwestern", hat Cheyenne gesagt und sich neben
ihn auf den Boden gekniet, um ihn zu knuddeln.
Aber Rocco hat sie gar nicht beachtet. Stattdessen hat er auf Chanells Einhorn gezeigt mit
beiden Händen.

DA! DAAA!

Und da hat Chanell das Einhorn lieber ganz fest an sich gedrückt und
ist einen Schritt zurückgegangen.

Dabei ist sie gegen
ihren Vater geprallt

und Rocco hat wieder angefangen zu
brüllen, sogar noch lauter als vorher.

Verflixt, nun gib ihm doch das dämliche Viech!

hat Guido fast genauso laut gebrüllt.

NEIN! hat dann natürlich auch Chanell losgebrüllt.

Mann, was war das für ein **KRACH**. Ich hatte doch schon vorher ganz genau gewusst, warum ich nicht mit zu Cheyennes Vater wollte!

schnief

Ein paar Minuten später hat Chanell nur noch leise vor sich hin geheult, während Rocco zufrieden auf dem Horn ihres Einhorns rumgekaut hat.

Da hat sie mir ein bisschen leidgetan.

Während Jessica immer noch bei Rocco und dem Einhorn auf dem Teppich gehockt hat, haben Cheyenne und Chanell sich zu ihrem Vater aufs Sofa gesetzt. Da hab ich mir schnell den einzigen Sessel geschnappt. ⟶

Unser Rocco ist ja total hochbegabt hat Jessica erzählt und sich ihre langen roten Fingernägel angeguckt.

Ne, Guido? Er kennt schon ganz viele Wörter, der Rocco!

„Klar. Der wird mal ganz erfolgreich, das merkt man jetzt schon", hat Guido behauptet und seinen Sohn abschätzend von oben angeguckt.

Der weiß genau, was er will, und lässt sich nichts gefallen. Garantiert wird der mal Millionär!

Echt?

schlotz
schlotz
schlotz

Ich war voll erstaunt und hab mich nach vorn gebeugt, um Rocco genauer zu betrachten.
Und zwar weil ich noch nie jemanden gesehen hab, der hochbegabt ist.

Cool! Was kann er denn noch sagen außer Nei, Da und Gu?

Aber da hat Jessica mich voll **böse** angeguckt und ich hab lieber nicht weitergeredet.

 Keine Ahnung, was die plötzlich hatte.

Du bist doch auch voll reich, oder Papi?

hat Cheyenne dann gefragt und so mit den Augen geklimpert.

Ich glaub, sie wollte sich ein bisschen bei ihm einschmeicheln. Wegen Kalle natürlich, damit sie ihn geschenkt kriegt.

Warum hast du dich eigentlich nicht für unser Projekt gemeldet? Dann hättest du allen aus meiner Klasse zeigen können, womit du so viel Geld verdienst.

Na, das wär ja noch schöner gewesen. Meine Arbeit ist nichts für Kinder

hat Guido gebrummt und verärgert geguckt.

Wieso? Was arbeitest du denn?

Ich mache Geschäfte. Erwachsenengeschäfte. Keine Gnade. Und das Letzte, was ich dabei gebrauchen kann, sind irgendwelche Schulkinder, die mich nerven. Also kein Wort mehr davon.

Doch dann hat er seine Arme um die Schultern von Cheyenne und Chanell gelegt, so versöhnlich irgendwie.

Mach ich meinen Töchtern nicht immer großartige Geschenke? Na, seht ihr. Dafür lasst ihr mich mal schön mit eurem Schulkram in Ruhe.

wupps

Das war natürlich genau der richtige Augenblick, um nach Kalle 🐴 zu fragen. Das haben Cheyenne ➤○ und ich ○≺ sofort gemerkt.

Doch, Papi, echt, du schenkst uns immer voll die schönen Sachen

hat sie gesagt und dabei eifrig genickt.

Aber weißt du, liebstes Papilein, was ich mir am allermeisten wünsche, mehr als alles andere auf der Welt? Wenn du mir das schenkst, dann ... dann brauch ich niemals wieder ein anderes Geschenk!

Sie hat tief Luft geholt.

Da ist so ein süßer Hund ... im Tierheim ... den mag ich so furchtbar gerne. Der ist total lieb, Papi, und keiner will ihn haben, niemand, bloß ich ganz alleine. Kalle heißt der.

Guido hat gestöhnt und die Augen verdreht.

Eine Töle. Na, das fehlt mir gerade noch.

Dann ist er aufgesprungen, hat sich vors Sofa gestellt und die Arme in die Seiten gestemmt.

Hör zu, ich habe eine viel bessere Idee. An meinem Geburtstag am Samstag schmeiße ich hier eine Party. Oma kommt auch. Ich lade euch ein und ihr feiert mit mir und vergesst den Köter und euer dämliches Schulprojekt. Keine Gnade. Na, was sagt ihr?

Cheyenne und Chanell haben gar nichts gesagt. Sie haben sich nur bedröppelt angeguckt.

Welche Oma denn? Omi Rita? hat Chanell dann gewispert. Damit hat sie die Mutter von Sandra gemeint, ihrer Mami. Von einer anderen Omi hatte ich jedenfalls noch nie was gehört.

Aber da ist Guido **stinkig** geworden.

Ach Quatsch, doch nicht Omi Rita! Eure Oma Ramona natürlich!

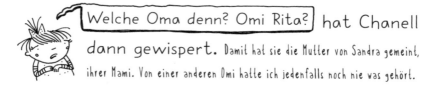

Danach war es einen Augenblick lang still und wir alle haben nur Guido ☉ ☉ angestarrt.

Wer ist denn Omaramona?

hat Chanell schließlich gepiepst.

Da ist Guido voll **rot im Gesicht** geworden, aber bevor er platzen konnte, hat Cheyenne ihr schnell erklärt, dass das ihre andere Oma ist. Die Mutter von Guido. Die sie schon gaaanz lange nicht mehr gesehen haben.

Ach so. Chanell hat zaghaft genickt, aber ich glaube, sie wusste immer noch nicht, von wem die Rede war.

Anschließend hat Cheyenne dann nur noch still auf ihre Hände geguckt, die sie im Schoß ver-knödelt hatte.

Da hätte ich mich am liebsten neben sie gesetzt und sie in den Arm genommen, aber irgendwie hab ich mich nicht getraut. 😐 Weil ich Guido ein bisschen **gruselig** finde. **Und ganz schön gemein!**

Gu hat Rocco dann gemacht und da hab ich gesehen, dass er das Horn von Chanells Einhorn mittlerweile ganz abgebissen hatte.

buhuhuhuuu

Als wir kurz darauf auf dem Weg nach Hause waren, hat sie die ganze Zeit geheult.

Natürlich weil ihr Einhorn kein Glitzerhorn mehr hatte.

Und ich wusste ganz genau, weshalb ich von Anfang an überhaupt keine Lust gehabt hatte, zu Guido zu laufen! 😠 **Ich finde ihn nämlich wirklich überhaupt nicht nett. Auch wenn er Cheyennes Papi ist – keine Gnade!**

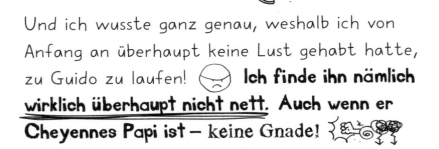

DIENSTAG, DER 29. MAI

OH MANN. Heute Morgen bin ich total früh aufgewacht und konnte nicht mehr einschlafen. Und zwar **weil wir ja heute Papa in der Schule besuchen.**

Mit einem Mal war mir voll **KODDERIG** im Bauch und ich hab mich gefragt, warum ich Papa bei der Planung für unser **PROJEKT** nicht einfach erzählt hab, dass wir dafür ganz bestimmt überhaupt gar keinen Lehrer brauchen.

Denn obwohl Papa natürlich lange nicht so schlimm ist wie Guido, hatte ich immer noch voll die Angst, dass sich die anderen aus meiner Klasse über ihn lustig machen. Papa ist Lehrer der Grundschule Fischoogstraße. Zum Glück waren Cheyenne und ich früher auf einer anderen Grundschule, und zwar auf der Waldschule, die auch Jakob und Simon besuchen.

Nur Chanell geht auf Papas Schule und er ist sogar ihr Mathelehrer. Natürlich ist Chanell an derselben Schule eingeschult worden wie Cheyenne. Aber irgendwie hatte sie dort Probleme. Und deshalb ist sie jetzt auf Papas Schule. Dort, wo wir heute hinmüssen. **OJE.**

47

Als wir beim Frühstück saßen, hat Papa auch noch so dämliche Sprüche gemacht.

Na, dann wollen wir doch mal sehen, ob deine Klassenkameraden noch alle das ABC-Lied kennen

hat er gesagt und sich die Hände gerieben und meine **BlödbrüDer** haben gelacht.

ABC – mir tut das Poloch weh! hat Jakob losgegrölt und Simon hat noch viel **SCHLIMMERE SACHEN** gesungen.

Da hab ich ihnen erst mal erzählt, dass sie sich so was lieber schnell abgewöhnen sollen. Schließlich kommen sie im Sommer auch auf die **Günter-Graus-Gesamtschule** und vielleicht kriegen sie ja Frau Kackert als Klassenlehrerin. Und die kennt **keinen Spaß** bei solchen Liedern und <u>auch sonst nicht.</u>

ABC — dann gibt es Hauu-ee!

hat Papa ganz albern gesungen.

😐 Natürlich haben meine **Brüder** da noch viel lauter gelacht und mir ist noch viel **KODDERIGER** im Bauch geworden.

Ich kann dich gern mitnehmen hat Papa mir vor-geschlagen, als er mit seinem blöden ABC-Lied fertig war, aber das wollte ich auf keinen Fall.

Um acht Uhr hat sich unsere Klasse auf dem Schulhof der **Günter-Graus-Schule** getroffen, vorne am Eingangstor. ➘

Weil mir immer noch so komisch war, hab ich versucht, mich irgendwo zwischen Cheyenne und Paul zu verstecken.

Aber Frau Kackert hat mich gesehen
und zu sich nach vorne gebeten. **Lotta
wird euch kurz erzählen, was euch
heute erwartet** hat sie allen erklärt.

Menno. Und dabei hatte ich doch gehofft, die
anderen hätten schon wieder vergessen, dass es
mein Vater war, den wir heute besuchen. ⊖

Gleich gehen wir zur Grundschule Fischoogstraße. Da ist mein Vater Lehrer

hab ich deshalb nur ganz kurz erklärt.

Sofort hat Timo losgestöhnt und sich den Kopf
gehalten, als hätte er Schmerzen.

Nee, ne? Ich brech zusammen! Meine alte
Schule und mein alter Klassenlehrer — da
wollte ich doch nie im Leben wieder hin!

Echt, Herr Petermann war voll die Pest!
Der **schlimmste** Lehrer überhaupt

hat Maurice bestätigt und Benni
hat genickt. Dabei hat er kurz zu mir
rübergeschielt, aber nur ganz kurz. ←---

ROCK!

hump

Da ist mir total **SCHLECHT** geworden.
Weil ich vorher nämlich überhaupt nicht daran gedacht hatte, dass ein paar Schüler aus meiner Klasse früher auf Papas Schule waren.

Aber in dem Moment hat ausgerechnet Hannah gerufen:

Haha, das sagt ihr doch nur, weil er euch dabei erwischt hat, wie ihr auf dem Schulklo Sprüche an die Wände geschmiert habt, ihr Trottel!

hihihi

Genau! Und dann musstet ihr anschließend die Toiletten putzen! Auch die von den Mädchen!

hat Emma gequiekt.   *hihihi*

HAHAHA! HAHAHA! HAHAHA!
HAHA!

Da haben alle gelacht und Cheyenne hat mich in die Seite gebufft.

buff

Aber ich hab noch immer Emma und Hannah angestarrt, weil ich so überrascht darüber war, dass mir ausgerechnet zwei von den **LÄMMER-GIRLS** helfen.

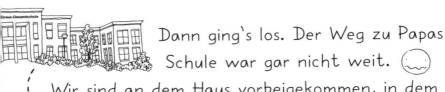

Dann ging's los. Der Weg zu Papas Schule war gar nicht weit. Wir sind an dem Haus vorbeigekommen, in dem ←Cheyenne wohnt, und am **SPARKAUF**, wo Mama immer einkauft.

Komischerweise sind die **Rocker** immer langsamer gelaufen, je näher wir der **Schule** kamen.

zuerst   dann später

Auf dem Schulgelände war es ganz still, die Klassen hatten gerade Unterricht. Nur ein einziges Kind hat mitten auf dem Hof gehockt und mit Kreide was auf den Boden gemalt. Und zwar Chanell. Als sie uns gesehen hat, ist sie aufgesprungen und hat wild gewunken.

WR DA SLE

Huhu! Cheye-henne! Huhuuu!

Cheyenne war das voll peinlich, sie ist ganz **rot** im Gesicht geworden.

Ey, was machst du hier? Warum bist du nicht in deiner Klasse?

hat sie ihre Schwester angezischt.

Ich hab zu Frau Schulz gesagt, ich muss mal, und dann bin ich rausgegangen und nicht wiedergekommen, weil ich auf euch warten wollte.

Währenddessen haben sich alle die Bilder angeguckt, die Chanell auf den Boden gekritzelt hatte.

Wahrscheinlich sollten das Tiere sein, aber sie haben ausgesehen wie Amöben.

Außerdem stand da: **WR DAS LEST IST DOFF.**

Rémi hat die Stirn krausgezogen.

„Welsche Sprach ist das?", hat er gefragt und versucht, die Wörter zu entziffern.

Und warum sind gemalt ... wie 'eißt der Wort ... Kartöffel mit Augen?

Cheyenne war total **stinkig.** Sie hat ihre Hände zu Fäusten  geballt und ausgesehen, als hätte sie ihre kleine Schwester am liebsten gehauen. Aber sie hat nur gefaucht:

Dann mach dich gefälligst nütz- lich und bring uns zu Lottas Papa!

Da hat Chanell sich umge- dreht und ist losgelaufen.

Wir sind ihr alle durch die große Eingangstür ins Gebäude gefolgt und dann nach ↰ links und eine Treppe hoch und noch eine Treppe und einen Gang entlang ⇨ und eine andere Treppe wieder runter und dann nach ↱ rechts, bis es nicht mehr weiterging.

Erst da ist Chanell stehen geblieben. Mit dem Finger im Mund hat sie sich zu uns gedreht. Hier war ich noch nie.

Jetzt hat Cheyenne sie wirklich gehauen und sie hat geheult.

Natürlich hat sich Frau
Kackert sofort eingemischt.
Sie hat Cheyenne zur
Seite geschoben   *buhuhuu*

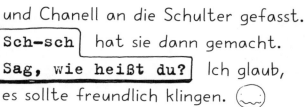

und Chanell an die Schulter gefasst.
Sch-sch hat sie dann gemacht.
Sag, wie heißt du? Ich glaub,
es sollte freundlich klingen.

Chanell hat Chanell geheult.

**Nun hör mal auf zu weinen,
Chanell. Und bring uns doch
bitte zum Lehrerzimmer.**

Frau Kackert hat ein bisschen ungeduldig ausgesehen und auch etwas sauer. Ich wusste bloß
nicht, auf wen sie sauer war: auf Cheyenne
oder auf Chanell ‿‿‿ oder auf beide?

Und da ist Chanell wieder
losgelaufen und wir hinterher. *flitz*

Cheyenne und ich waren ganz vorne bei Frau Kackert,
weil wir uns irgendwie verantwortlich gefühlt haben.

Als wir dann immer länger in den Gängen der Schule unterwegs waren, hab ich hinter mir die 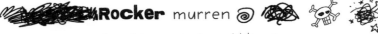 **Rocker** murren

hihihi *bssswsssbsss* *hihihi* *bssswsssbssswssshihihi* *hihihi* *hihihi*

und die **LÄMMER-GIRLS** kichern gehört.

{Ob wir wohl bald mal da sind?}

hat dann auch noch Matilda gefragt, mit ganz spitzer Stimme.

Doch Chanell hat nicht mal das Lehrerzimmer gefunden. Irgendwann ist sie vor einer Reihe gerahmter Bilder stehen geblieben, die an der Wand vor einem Klassenraum hingen und alle gleich aussahen: Alle hatten einen blauen Hintergrund, auf den jemand aus roten und gelben und orangenen Papierschnipseln eine Sonne geklebt hatte.

Chanell hat auf eines der Bilder gezeigt.

[Guck mal, das hab ich gemacht]

hmpf

hat sie Frau Kackert ganz stolz erzählt.

Zum Glück kam in diesem Moment

PAPA um die Ecke gebogen.

Mann, war ich froh, ihn zu sehen!

Ach, hier seid ihr! hat Papa gerufen.

Ich habe unten in der Pausenhalle auf euch gewartet.

Dann hat er Frau Kackert
die Hand gegeben und

Guten Tag, Frau Kollegin

gesagt.

Anschließend hat er das Kommando übernommen. Er wollte mit uns zum Lehrerzimmer gehen, aber auf dem Weg hat er uns erst mal die Schule gezeigt und alles erklärt.

Und mit einem Mal war mir überhaupt **nicht mehr kodderig.** Ich war sogar ein bisschen stolz auf Papa, weil er sich so gut auskannte und über alles Bescheid wusste. Auch wenn ich gehört hab, dass Maurice hinter mir

Mann, was für ein Klugscheißer

gemurmelt hat.

Papa hat Chanell zurück in ihre Klasse gebracht und dann hat er uns den Musikraum, die Sporthalle und die Aula gezeigt.

Langweilig!  hat Finn gegähnt.

Finn Dargatz, das habe ich gehört hat Papa gesagt und mit dem Finger gedroht.

Ich glaube, du möchtest erst mal fünf Runden um den Sportplatz laufen. Aber vielleicht willst du auch lieber die Toiletten schrubben – zusammen mit deinen Kameraden!

Wieder mussten wir alle lachen 😊 und dann hat es geklingelt bing bang bong und wir hatten erst mal Pause.

Papa hat Frau Kackert ins Lehrerzimmer begleitet, während unsere Klasse sich in einer Ecke des Schulhofs versammelt hat. Wir wollten nämlich auf keinen Fall zusammen mit den Grundschülern gesehen werden.
Nur Chanell kam sofort auf Becherstelzen angestakst und wollte uns den Schulhof zeigen und alle Spielgeräte.

klopp

Aber Cheyenne hat sie wieder weggejagt.

Mach dich vom Acker, ey!
Das ist doch nur was für Babys.
Du bist so was von peinlich!

Und das stimmte wirklich. Verglichen mit Chanell war Papa plötzlich überhaupt kein bisschen
mehr peinlich. Darüber war ich sehr
froh, aber Cheyenne hat mir total leidgetan.

Vor allem weil ich die Blicke gesehen hab, die
sich Berenike und ihre **LÄMMER-GIRLS** zugeworfen haben. Wie sie so ihre Augen verdreht
und die Köpfe geschüttelt haben.

Guck mal, wie gut ich schon
allein aufs Klo gehen kann

hat Hannah gespöttelt.

Aber am fiesesten war
Berenike. Als ob die allein das
Klo finden würde. Sie ist die
Schwester von Cheyenne —
was habt ihr erwartet?

hat sie gezischt.

Da war ich so **wütend**, dass ich am liebsten auch was ganz ~~böll~~ Gemeines zu ihr gesagt hätte! Nur leider ist mir nichts eingefallen.

Emma hat auch nichts gesagt. Sie hat nur ein bisschen unsicher zu Rémi rübergeguckt. Und zwar weil er bei uns stand, bei den WILDEN KANINCHEN.

Chanell möschte 'elfen.
Sie ist eine freundlische Mädschen

hat er zu Cheyenne gesagt.

Aber Cheyenne war noch immer total sauer.

Das heißt nicht freundlich, sondern peinlich

hat sie gegiftet

und da ist Rémi ein bisschen verlegen geworden und hat sich korrigiert.

Äh, ja, Entschuldigung.
Sie ist sähr, sähr peinlisch!

Da musste Cheyenne doch wieder grinsen. Auch Paul hat versucht, Cheyenne aufzumuntern.

Mach dir nichts draus. Chanell ist ja noch ziemlich klein.

60

Aber da hat meine beste Freundin wieder voll
grummelig geguckt. Klein? **Sie ist acht!** Als du acht
warst, da hast du dich hundertpro mega-
gut in deiner Schule ausgekannt. Mit
verbundenen Augen. Und rückwärts!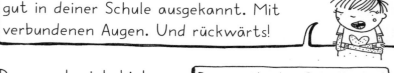

Da musste ich kichern. Besser als der Schulleiter!

Und dann haben wir zusammen überlegt, was
Paul mit acht schon alles besser konnte:

Besser lesen als deine Lehrer!

 Bessähr Schach spielen als der Weltmeistähr.

Und die ganzen Primelzahlen konn-
test du auch schon auswendig.

 Und du hast einen echten Computer aus Lego
nachgebaut, der richtig funktioniert hat.

Und alle Dinosaurier, die es gibt. hihihi

 Und sicherlisch du 'ast gewusst
alles über Desoxyribonukleinsäure!

Da mussten wir wieder lachen. HAHAHAHA!

Paul auch, obwohl er ein bisschen
rot um die Ohren geworden ist. hihi

Als die nächste Stunde anfing, durften wir in kleinen Gruppen in verschiedene Klassen gehen und uns den Unterricht angucken. Paul und Rémi haben Papa in die zweite Klasse begleitet, in die auch Chanell geht, aber dazu hatten Cheyenne und ich keine Lust. Wir sind lieber mit in **eine andere zweite Klasse** gegangen, in der gerade **KUNST** unterrichtet wurde. Leider mussten die Schüler ein Blatt Papier blau anmalen und dann aus Papierschnipseln eine Sonne draufkleben. Das war ein bisschen langweilig, weil wir solche Bilder ja schon kannten und wussten, dass die am Schluss alle gleich aussehen. gähn

Damit die Stunde nicht völlig umsonst war, haben wir versucht, den Kindern dabei zu helfen. Cheyenne hat einem kleinen rothaarigen Mädchen über den Kopf gestreichelt und gesagt:

Das machst du aber fein.

bamm
bamm
bamm

Aber das Mädchen hat Cheyenne nur angeguckt, als wollte es sie beißen. So mit wütenden Zähnen.

Mach ich nicht! Das Bild wird total hässlich! Ich will jetzt Mathe machen! hat sie geschrien.

Da haben Cheyenne und ich uns lieber hinten im Raum auf zwei freie Stühle gesetzt und nur noch zugeguckt.

Trotzdem hat mir der Tag heute gefallen. Weil ich PAPA nämlich echt gut fand und mich **nicht** für ihn schämen musste.

Obwohl die **Rocker** anschließend noch ganz viele **blöde Sachen** über ihn gesagt haben — aber die **motzen** ja sowieso über jeden Lehrer und über alles, was mit Schule zu tun hat.

Echt, ich war heute sogar ein kleines bisschen stolz auf PAPA!

MITTWOCH, DER 30. MAI

Heute Morgen haben wir uns alle zunächst in unserem Klassenraum getroffen. „Chanell wollte auch mitkommen", hat Cheyenne mir auf dem Weg dorthin erzählt.

Seit gestern bildet die sich echt ein, dass sie jetzt zu uns gehört und überall mit hindarf. Da hab ich ihr erst mal gesagt, dass ich sie überhaupt nirgendwo mehr mit hinnehme, weil sie so peinlich ist. Natürlich hat sie sofort wieder rumgeheult, die Heulsuse!

In der ersten Stunde haben wir zusammengefasst, was wir im Tierheim und in Papas Schule so erlebt und gelernt haben. Zum Glück hat niemand Chanell erwähnt.

Als Frau Kackert schließlich noch mal angesprochen hat, wohin wir heute gehen, ist Liv-Grete ein bisschen aufgeregt geworden.

Und das konnte ich gut verstehen. Weil wir nämlich ihre Mutter besuchen, die einen Hundefrisörsalon hat.

Natürlich haben sich die **Rocker**  sofort wieder lustig gemacht, aber Cheyenne und ich haben uns echt auf den Besuch gefreut!

Vielleicht dürfen wir ja ein bisschen mitfrisieren.

Leider ist mir in dem Moment unsere Nachbarin Frau **Segebrecht** eingefallen und ihr kleiner Hund **Polly**.

Und der Ärger, den ich mal mit ihr hatte, als ich Polly eine (neue Frisur) gemacht hab.

blub   blub   fiep fiep blubber

Also hab ich beschlossen, dass ich doch lieber nur zugucke beim Frisieren.

Wenn deine Mutter Hundefrisörin ist …, was macht denn dein Vater?

hat Timo gerade da in die Klasse gerufen. Ist der Pferdehuflackierer?

Natürlich haben die **Rocker** sofort losgegrölt.
Und ein paar andere auch. **höhöhö**
Cheyenne und ich zum Beispiel.

Nee, Kuhfleckendraufmaler! hat Maurice
in den Lärm gerufen und da mussten
wir noch lauter lachen. **HAHAHA!**

Ihr seid ja so blöd! Mein Vater ist
Kämmerer im Rathaus! Liv-Grete hat
einen ganz schmalen Mund gemacht.

Na klar! hat Finn losgeprustet.
Jeden Morgen kämmt er dem Vater von
Karl-Ole die Haare! Dem Bürgermeister!

Bürgermeisterkämmer!
↳ Das kam von Benni, der sonst nie was sagt. **höhöhö** hihihi
HAHAHA! hihihi

Und da mussten wir alle so schrecklich lachen,
dass mir Liv-Grete fast schon ein bisschen leidgetan hat. Und Karl-Ole auch. Obwohl ich
selbst auch nicht aufhören konnte zu kichern.
Aber ich weiß ja, wie man sich fühlt, wenn man
den anderen seine Eltern bei der Arbeit zeigt.

Bestimmt hatte Liv-Grete auch ein bisschen **Angst**, dass wir ihre Mutter und ihren Beruf blöd finden. Deshalb hab ich beschlossen, später besonders nett zu ihr zu sein. ⭐

Langsam wurde es wieder ruhiger und schließlich sogar ganz still. Und zwar weil Frau Kackert die **Rocker** streng angeguckt hat, einen nach dem anderen. Was machen eure Eltern eigentlich beruflich? hat sie sie schließlich gefragt.

Und da war es plötzlich so leise, dass man nur noch die **Rocker** atmen und schnaufen gehört hat. Sie haben sich gegenseitig angeschaut, so von unten, aber keiner von ihnen hat geantwortet

und Frau Kackert hat nur genickt. „So, so. Und jetzt möchte ich kein schlechtes Wort mehr über die Eltern eurer Mitschüler hören. Keine Vermutungen und kein Gelächter. Das gilt übrigens für alle."

Danach sind wir endlich losgegangen. Der Weg zum *Hundefrisörsalon* von Frau Volkerts, Liv-Gretes Mutter, war noch kürzer als der zu Papas Schule. Direkt nebenan lag eine Post und dann gab es ein Stück weiter noch einen Menschenfrisör.
Da stand: ———————→ Anjas *Hundesalon* ←—— In Lila.

Als Maurice das gesehen hat, hat er den Mund geöffnet.

Aber gerade da hat Frau Kackert ihn angeguckt,

so **streng** über ihre Brille, und er hat lieber nichts gesagt.

Im *Salon* war gerade nur ein einziger Hund, und zwar Bobo von Liv-Grete. Er ist sofort aufgesprungen und hat angefangen zu kläffen und zu hüpfen. Das hat voll süß ausgesehen.

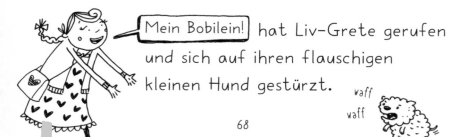

Mein Bobilein! hat Liv-Grete gerufen und sich auf ihren flauschigen kleinen Hund gestürzt.

waff
waff

68

Aber ich konnte mich gar nicht richtig auf Bobo konzentrieren. Irgendwas hat nämlich ganz komisch gerochen. Gar nicht nach Hund, nicht so wie im Tierheim, sondern hauptsächlich nach Rosen  und Zahnarzt und Frisör.

Cheyenne hat auch die Nase verzogen.

Ob das Hundeparfüm ist?

Dann kam Frau Volkerts aus einem Hinterzimmer.

Guten Tag! Schön, dass ihr alle hier seid!

hat sie fröhlich gerufen.

Ich weiß aber nicht, ob sie es wirklich so schön fand. Der Raum war nämlich total klein und schon ohne uns ziemlich voll.

Mittendrin stand eine Liege und drum herum überall elektrische Geräte und Regale und Grünpflanzen.

Wir sind fünfundzwanzig Schüler in der Klasse und wussten kaum, wo wir stehen sollten.

Schon ist Leon gegen ein Regal mit
Hundeshampoos oder so gestoßen und
ein paar Flaschen sind runtergefallen
und über den Boden gekullert.

Wieder hat Bobo
losgebellt wie verrückt.

Aus, Bobo! Aus! hat Liv-Gretes Mutter
gerufen, während Bobo
immer weitergekläfft hat.

Gleich kommt mein erster Gast für diesen Tag, die
Pudeldame Princess. Bei ihr kann ich euch das volle
Hundeverwöhnprogramm zeigen: waschen, scheren,
tönen, föhnen, von den Pfötchen bis zum Krönchen!

Ich hab gesehen, dass die **Rocker** mit den Augen
gerollt haben. Timo hat sich sogar einen Finger
in den Hals gesteckt.

Deshalb wollte ich schnell was Nettes sagen.
Mir ist bloß nichts eingefallen.

Aber da hat Paul sich gemeldet.

Stimmt es, dass der Pudel ursprünglich zu den Wasserhunden gezählt und zur Entenjagd eingesetzt wurde?

 Frau Volkerts hat ihn nur angestarrt.

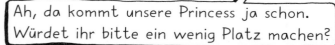 Hihi! Was für eine seltsame Frage

hat sie dann geträllert
und zur Tür gezeigt.

Ah, da kommt unsere Princess ja schon. Würdet ihr bitte ein wenig Platz machen?

rumpel

Wir haben versucht, zur Seite zu rücken, aber weil es so voll war, sind wir alle gegeneinandergeprallt und dabei hab ich aus Versehen eine Schüssel mit Leckerlis von einem Regal gestoßen.

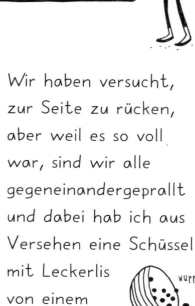

wupps

71

Zum Glück war die aus Plastik
und ist nicht kaputtgegangen.

klock

Aber die [Leckerlis] →
lagen anschließend überall am Boden verteilt.

Und kaum war Princess im *Laden*, hat sie sich
daraufgestürzt.

welz

schnffschnff

Total aufgeregt ist sie hin →

schnffschnff

und her gewuselt, sodass Karl-Ole

knurps

hoppla

über sie gestolpert
und gegen Berenike
gefallen ist.

knurps

umpf

Pass doch auf, du Blödmann!

hat Berenike gezischt und
Karl-Ole ist voll
rot geworden.

„Aus, Princess! Aus!" hat Liv-Gretes Mutter gerufen und das Frauchen von Princess hat an der Hundeleine gezerrt,

die sich mittlerweile um die Beine von Cheyenne, Paul, Emma und Matilda gewickelt hatte.

Und da sind Cheyenne, Paul, Emma und Matilda
hingefallen und haben dabei eine Topfpflanze
mit umgerissen.

Anschließend hat Frau Volkerts uns
erst mal alle rausgeschickt, damit
Princess sich beruhigen konnte.

Und Bobo auch.   Und um aufzuräumen.

Währenddessen hat das
Frauchen von Princess
den *Salon* verlassen
und uns dabei voll
misstrauisch angeguckt.

Anjas
Hundesalon

Danach durfte die halbe Klasse wieder reinkommen, um dabei zuzuschauen, wie Princess frisiert wurde. Die anderen mussten von außen durchs Fenster gucken. ☹ Nach ungefähr einer halben Stunde haben wir dann getauscht.

Am Anfang waren Cheyenne und ich in der Gruppe, die draußen bleiben musste. Und zwar zusammen mit Paul und Rémi und den **Rockern** und noch einigen anderen aus der Klasse.
Und mit Frau Kackert.

Es war gut, dass sie hier bei uns war, denn die **Rocker** hätten bestimmt nur Unsinn gemacht, wenn sie eine halbe Stunde lang ohne Lehrer vorm Fenster eines *Hundefrisörsalons* hätten rumstehen müssen.

Weil wir nicht verstehen konnten, was drinnen geredet wurde, haben wir das volle *Hundeverwöhnprogramm* von Princess selbst kommentiert:

Was kriegt der denn jetzt in den Pelz geschmiert? Schuhcreme?

Princess ist eine Sie.

Wasch, wasch, wasch.

Oooh, guckt mal, jetzt macht sie Princess mit dem Rasierer ganz nackig am Po!

bsss

Sähr praktisch: Der Maschin für Schneiden die Haare hängt mit Kabel von die Decke!

Cool! Damit rasieren wir nachher Karl-Ole den Kopf!

HA HA!

Ha ha, sehr witzig!

Als unsere Gruppe dann endlich reindurfte, war das *Verwöhnprogramm* noch lange nicht fertig: Liv-Gretes Mutter hat uns erklärt, wie schwierig es ist, solch eine Pudelfrisur zu schneiden, und dann hat sie die Beine von Princess rasiert.

Nur unten und am Schwanz hat sie so puschelige Kugeln drangelassen.

Ein Hund mit fünf Klobürsten dran hat Timo geraunt, weil Frau Kackert noch immer draußen vorm Fenster stand, und da mussten wir wieder alle kichern.

Aber dann habe ich mich daran erinnert,
dass ich ja nett zu Liv-Grete sein wollte.

> Jetzt sieht Princess aus wie ein Schaf.
> Ein Schäfchen, das gerade geschoren wird

hab ich deshalb gesagt, weil ich Schafe voll gern
mag. Vor allem ganz kleine Lämmer.

> Ja, nur leider ist mittendrin die
> Schermaschine kaputtgegangen

hat Maurice gerufen

und da mussten wir schon wieder alle lachen.

HAHAHAHA! höhöhö kikiki HAHAHA!

Außer Liv-Grete natürlich, die fand
das alles nicht besonders lustig.

Und ihre Mutter auch nicht.

> Beim Pudel ist die Fellpflege ganz besonders wichtig, weil sein Fell so schnell verfilzt

hat sie erklärt.

Und dann hat sie Princess die Haare im Gesicht geschnitten,

die Krallen gekürzt

und die Augen und Ohren sauber gemacht.

> Und jetzt bekommt unsere Princess noch eine schöne rosa Tönung ...

> Wofür ist die denn wichtig?

hat Paul gefragt,

aber Liv-Gretes Mutter hat ihn total ignoriert.

79

Als Princess dann ein rosa Fell hatte, hat Frau Volkerts sie auch noch geföhnt.

rosa

vorher →

nachher →

So ein braver Hund hat sie schließlich gesagt. Wer möchte ihr ein Leckerli geben?

Natürlich hab ich mich gemeldet, aber sie hat Hannah drangenommen.

Zum Schluss hat Frau Volkerts uns noch erzählt, dass man bei ihr auch besonders gute Tiernahrung kaufen kann.

Hühnerchips, ideal zur Zahnpflege

Hühnerchips ideal zur Zahnpflege

Dann durften wir gehen und darüber war ich
ziemlich froh, echt. Weil wir ja die ganze Zeit
nur rumstehen mussten und nichts tun konnten.

Nur Frau Kackert ist noch mal
reingegangen und hat sich bei
Frau Volkerts bedankt und sich
für die Unannehmlichkeiten
entschuldigt. Ach, keine Ursache
hat Liv-Gretes Mutter
gesagt und dabei irgendwie
voll erschöpft gelächelt.

Auf dem Rückweg waren wir jedoch noch nicht
mal an der Post vorbei,

als Frau Volkerts plötzlich aus dem
Salon gestürmt kam und überhaupt
nicht mehr freundlich ausgesehen hat.

Wer war das? Wer hat Bobo so etwas Schreckliches angetan?

hat sie gekreischt.

Und sie hat ihren kleinen weißen Hund mit beiden Händen in die Luft gehalten.

rosa

abrasiert

waff
waff

Allerdings war Bobo nicht mehr so richtig weiß, sondern eher rosa gescheckt. Und sein Fell war auch nicht mehr überall flauschig, sondern an einigen Stellen ganz kurz geschoren.

Der kleine Hund hat vergnügt gebellt und mit dem Schwanz gewedelt, aber Frau Kackert ist **stinkesauer** geworden und das konnte ich gut verstehen! Weil ich das nämlich auch **total fies** fand. **Der arme Bobo!**

Einige aus meiner Klasse haben schon wieder gekichert,

hehehe

hähähä   höhö

 aber die **LÄMMER-GIRLS** haben voll geschimpft

fauch

und sogar Cheyenne hat gesagt:

| Oh, oh, das gibt Ärger! |

Dabei hat sie sich angehört, als sei sie froh darüber, dass diesmal jemand anders als sie selbst den Ärger kriegen würde.

Nachmittags waren Cheyenne und ich dann wieder im TiERHEiM und haben dort geholfen.

Und das war total entspannt, echt!

Weil es hier <u>richtige</u> Hunde <u>ohne Frisur</u> gibt, die auch nach richtigem Hund riechen, und weil es nicht so eng und voll ist. Und natürlich weil wir mit unseren Lieblingen ANTON ♡ und KALLE Gassi gehen durften.

Leider wollte Cheyenne schon wieder zu ihrem Vater laufen, obwohl ich dazu überhaupt keine Lust hatte. Aber sie wollte Guido **unbedingt** Kalle zeigen. Und da bin ich eben mitgekommen.

Zum Glück hat er uns <u>nicht</u> reingelassen mit den beiden Hunden.

NEIN!

Dann frag ich eben Omaramona, ob sie mir Kalle schenkt

hat Cheyenne in die Sprechanlage unten am Haus gerufen.

Bestimmt macht die das. Weil Omas nämlich voll nett sind und ihren Enkeln Sachen schenken, die sie von ihren ▓▓▓▓▓▓▓▓▓Eltern nicht kriegen!

Guido hat nicht geantwortet und auch ich hab nichts gesagt. Und zwar weil ich mir da nicht so sicher bin.

Oma Ingrid → Nein!

Oma (die Mutter von Papa) → Nein!

Anschließend sind wir wieder zurückgegangen. Dabei haben wir darüber gesprochen, dass wir später viel lieber im Tierheim arbeiten wollen als in einem *Hundefrisörsalon*. Weil es viel schöner ist, armen und verlassenen Tieren zu helfen, als Hunden von reichen Leuten die Haare zu schneiden und sie rosa zu färben. **Aber so was von!**

DONNERSTAG, DER 31. MAI

Als Frau Kackert heute zur ersten
Stunde in unseren Klassenraum
gekommen ist, hat sie **noch
strenger** ausgesehen als sonst.

Die Täter, die Liv-Gretes Hund ver-
unstaltet haben, konnten ermittelt
werden. Ihre Eltern sind informiert
und bereits zu einer Klassenkonferenz
geladen worden hat sie knapp erklärt.

Obwohl sie keinen Namen genannt hat, haben
alle zu den **Rockern** rübergeguckt.

Und die **Rocker** haben alle nach unten auf ihre
Tische gestarrt und die Lippen zusammengepresst.

Außer Benni. Dem konnte man genau ansehen,
dass er diesmal nicht dabei gewesen war.

Einige von euch mögen es lustig finden, was sie mit dem kleinen Hund gemacht haben

hat Frau Kackert weitergeredet,

aber das ist es nicht. Wenn eine lebende Kreatur geschädigt wird, dann hört der Spaß auf.

Genau! hab ich da automatisch gerufen. Und dann ist mir ganz heiß im Gesicht geworden, weil es nämlich ansonsten mucksmäuschenstill im Raum war.

Aber niemand hat gelacht und Liv-Grete hat mich sogar ein bisschen dankbar angeguckt.

Anschließend sollten wir die Berichte rausholen, die wir in den letzten Tagen über die Elternbesuche geschrieben hatten.

Zum Glück waren Cheyenne und ich schon mit allen fertig, aber als Frau Kackert Timo drangenommen hat, hat der gemurmelt:

Die hab ich zu Hause vergessen.

Da hat sie Timo nur angeguckt, ohne
was zu sagen, und dann hat sie irgendwas in ihrem Lehrerkalender eingetragen.
Timo hat übrigens in den nächsten zwei Stunden
auch nichts mehr gesagt. H BUS

Die erste Schulstunde war noch nicht zu Ende,
da sind wir zur Bushaltestelle vor dem Gebäude
gegangen.

Nach fünf Stationen waren wir schließlich beim
Amtsgericht. Heute stand nämlich der Besuch
bei Berenikes Vater an und der ist ja Richter.

Das GERICHT sah von außen
wirklich toll aus, ein ganz
schönes, altes Haus.
Aber sobald wir es betreten haben, wurde es
düster und furchtbar *langweilig*.

Berenikes Vater, der Herr Doktor
Gero von Bödecker, hat uns in
der Eingangshalle empfangen und
dann in einen Gerichtssaal geführt.

Dort durften wir uns hinsetzen, während er vorne auf- und abgelaufen ist und von seiner Arbeit erzählt hat. Mindestens eine halbe Stunde lang.

 Das war das **Ödeste**, was ich in meinem ganzen Leben erlebt hab, echt!

Die ganze Zeit hat er nur von **Zivilgefahren** und **Mahnsachen** erzählt. Und von *blablablablabla*

- Handels-, Genossenhaben-, Verzeih- und müden Hechtministern
- Grunzbüchern und freilichem Gesichtsbarkleid
- Einzelwichten, Linkspflegern und Urkundstanten
- Würgerlichen Ächzkleinigkeiten und Winseln und Miezsachen und Kindheits- und Familiensachen und Verreckung und Zwangsversteinerung und Inkontinenz und Abschließehaft ...

Ich dachte schon, dass ich sterbe, weil mein Gehirn die ganzen langweiligen Wörter nicht mehr aushalten konnte!

Und deshalb hab ich irgendwann nur noch einen Ausweg gesehen: Ich hab meine **indische** Blockflöte aus der Tasche gezogen, mit der man Schlangen **beschwören** kann.

Und eigentlich auch alle anderen Sachen. Bestimmt auch Herrn von Bödecker!

Dann hab ich mich ein bisschen hinter Leons Rücken versteckt und ganz vorsichtig reingepustet.

Es hat sich voll **beschwörerisch** angehört.

Trotzdem war das ein **großer Fehler**, glaub ich. Denn Herrn von Bödeckers Gerede wurde sogar noch schlimmer als vorher.

… Zu Hilf'! Und wenn sich dann der Steine Kräfte bei euern Kindeskindeskindern äußern: So lad ich über tausend tausend Jahre sie wiederum vor diesen Stuhl …

Natürlich hab ich da ganz schnell wieder aufgehört zu flöten. Dann hab ich mich umgedreht, weil ich so ein Schnarchen gehört hab. schnorch

Und da hab ich gesehen, dass Cheyenne eingeschlafen war. Und ein paar andere aus meiner Klasse auch.

chrrr

ZZZ

Berenike aber natürlich nicht. Sie hat sich voll böse umgeguckt. Allerdings war sogar Hannah eingeschlafen.

Auch Paul war wach geblieben. Als Einziger aus der Klasse fand er das ganze Gerede offenbar sogar interessant. Er hat sich gemeldet und gefragt: Ist der berühmte Fall von **KARL, DEM KANNIBALEN** auch hier im Amtsgericht verhandelt worden?

chrrr

Karl-Ole, der Kannibale hat Maurice Timo zugeflüstert.

Nein hat Herr von Bödecker gesagt. Karl, der Kannibale wurde vom Landgericht Großburg verurteilt. Aber komm du doch mal nach vorne. Jetzt bist du der Richter!

Paul hat sich sofort vorne auf den Richterstuhl gesetzt und hat ganz stolz ausgesehen. Dann wurde es endlich etwas lustiger, weil wir **GERICHT** spielen durften.

Wer ist der Angeklagte?

hat Berenikes Vater gefragt und in die Runde geschaut.

MAURICE!

hat die ganze Klasse gerufen. Und dann wurde Maurice wegen Tierquälerei zu lebenslanger Haft verurteilt. Und zu einem Frisörbesuch jede Woche. Beim *Hundefrisör.* Ich glaub, das fand er nicht so witzig.

Danach hat Herr von Bödecker uns noch den Rest des Gerichtsgebäudes gezeigt und schon wieder ganz viel langweiliges Zeug geredet.

Deshalb haben Cheyenne und ich uns lieber die Bilder angeguckt, die in einem Gang an der Wand hingen. Überall waren Männer drauf, die ziemlich knurrig geguckt haben.

Das sind bestimmt alles Verbrecher, die schlimmsten Verbrecher, die hier jemals verurteilt worden sind

hab ich Cheyenne zugewispert.

Der da zum Beispiel, das ist bestimmt ein Mörder! Der guckt schon so!

Und der da ist ein fieser Einbrecher.

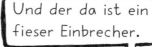

Und der ist ein Pygmäe. Das ist einer, der nachts fremde Häuser anzündet.

  Der da hat kleine Kinder mit seinem Gesicht erschreckt.

Und der hat ihnen auch noch die Schulbrote geklaut.

  Und der hat die Schulbrote dann auf Eisenbahnschienen gelegt, um Züge entgleisen zu lassen.

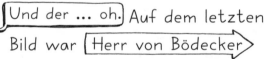 Und der ... oh. Auf dem letzten Bild war Herr von Bödecker zu sehen. Cheyenne und ich haben uns angeguckt und gekichert.

 HAHA wisper Das ist der Schlimmste von allen. Der hat eine ganze Schulklasse zu Tode gelangweilt!

Und da musste Cheyenne so lachen, dass es ganz laut von den Wänden widergehallt hat.

HAHA

Frau Kackert fand das allerdings gar **nicht witzig** und hat Cheyenne zu sich nach vorne gebeten. ◡

Nee, also, Richter ist nicht der richtige Beruf für Cheyenne und mich, so viel steht fest!

Nachdem wir das Amtsgericht verlassen haben, wurde es zum Glück wieder etwas lustiger. ◡ Auf dem Weg zurück zur Schule haben wir nämlich noch die *Konditorei Ketelhuhn* besucht, in der die Mutter von Laura arbeitet.

Jetzt weiß ich endlich, warum Laura so dick ist

hat Finn gemurmelt, als wir die vielen Torten und Pralinen durch die Fensterscheibe der Konditorei gesehen haben. 🧁 **Das war ja wirklich dumm von Finn und voll gemein noch dazu!** ↑ ↑ ↑

94

Frau Kackert ist sofort wieder **stinke-sauer** geworden — und Cheyenne auch!

Du spinnst wohl, Laura ist überhaupt nicht dick!

hat sie geschrien, und das, obwohl Laura ja gar nicht unsere Freundin ist.

Laura

Aber du bist eklig und ge-mein und sonst gar nichts!

Und da brauchte Frau Kackert nichts mehr zu dem Thema zu sagen. Sie hat nur ihren Lehrer-kalender aus der Tasche gezogen und was rein-geschrieben.

Ein weiterer Punkt für die Klassenkonferenz

hat sie Finn dann erklärt und ihre Stimme hat sich voll **eisig** angehört.

OK, OK. Ich glaub, Finn kriegt so richtig Ärger!

Die *Konditorei Ketelhuhn* verkauft ja wirk-lich leckere Sachen, aber so interessant, dass ich da jeden Tag arbeiten möchte, ist der Laden dann doch nicht.

Die backen nämlich gar nichts selbst, sondern verkaufen nur Kuchen und Pralinen, die sie geliefert bekommen. ⌣ Das **Beste** an dem Besuch bei Lauras Mutter waren auf jeden Fall die **Kekse**, die wir probieren durften.

Cheyennes Augen haben voll geleuchtet, aber trotzdem hat sie sich nur einen Keks genommen und sich dann schnell hinter Paul und Rémi versteckt.

Wahrscheinlich weil sie Angst hatte, dass Lauras Mutter sie wiedererkennt.

Mit ihr hatte Cheyenne nämlich schon mal **Ärger**, und zwar als ihr kleiner Bruder Rocco → hier voll das **Chaos** angerichtet hat.

Konditorei Ketelhuhn

BOOM

Nougattrüffel

Die **Rocker** waren als Erste wieder draußen, weil sie wussten, dass es auf den letzten Metern zur Schule einen noch viel interessanteren Laden gab. Ein *Tattoostudio* nämlich.

„Da arbeitet mein Vater!", hat Maurice stolz gerufen, als wir alle dort angekommen waren.

> Und zu meinem vierzehnten Geburtstag krieg ich mein erstes Tattoo!

Frau Kackert hat sich an den Kopf gefasst und gestöhnt, aber die meisten aus meiner Klasse haben sich sofort vor der Scheibe gedrängelt. Leider konnte man nicht so viel sehen, weil das halbe Fenster zutätowiert war.

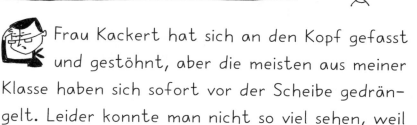

Böse Jungs Tättus

> Macht doch mal ein bisschen Platz!

hat Cheyenne geschimpft und Benni und Matilda zur Seite gedrängelt.

Doch dann hat sie vergnügt losgequietscht und
wild mit den Armen gewunken.

Da ist ja meine Oma! Da drinnen! Huhu, Omaramona!

Da hab ich auch durch die Scheibe geguckt. Und
eine ältere Frau mit so kurzen lila Stoppelhaaren
gesehen, die gerade tätowiert wurde. Auf ihrem
Bein, ganz unten. Also, das fand ich ja ziemlich
merkwürdig für eine Oma.

Meinst du das ernst? Die ist doch
nicht wirklich deine Oma, oder?

hab ich geflüstert, aber Cheyenne hat nur
gegen die Scheibe gebollert und gerufen.

 Doch die Frau hat nicht mal geguckt.

Mit einem Mal war Cheyenne von den **Rockern** umringt.

Das ist deine ... Oma?

Echt?

Voll krass!

haben sie durcheinandergerufen. Und da hat Cheyenne ziemlich stolz gegrinst. Aber, ganz ehrlich, ich war froh, dass ich keine Oma hatte, die so **KOMISCH** aussah.

Mit lila Haaren und Tätowierungen.

Oma Ingrid →

Oma (die Mutter von ←—Papa)

Anschließend durften wir alle nach Hause gehen, aber nachmittags ist Cheyenne zu mir gekommen. Am Küchentisch haben wir unsere Berichte über Berenikes Vater und Lauras Mutter geschrieben.

Allerdings haben wir überhaupt nur einen einzigen Punkt gefunden, der gut ist beim Richtersein.

Bestimmt verdient Berenikes Vater voll viel Geld.

seufz

Genau. Sonst wäre ihre Familie ja nicht so reich

hab ich bestätigt.

Rexana

Wir haben in unsere Berichte geguckt und Cheyenne hat nach einem der Kekse gegriffen, die Mama auf den Tisch gestellt hatte.

Einen Augenblick lang war es still, ich hab nur das Knuspern von Cheyenne gehört. Und da wusste ich plötzlich eine Sache ganz genau.

Ich möchte auf jeden Fall später einen Beruf haben, bei dem ich anderen helfen kann. Alten Damen zum Beispiel. Oder den Tieren im Tierheim. Weil das einfach wichtiger ist, als immer nur viel Geld zu verdienen. Und es fühlt sich bestimmt auch besser an, wenn man so was macht. Weil es nämlich auch besser ist.

Außerdem macht es garantiert viel mehr Spaß und ist nicht so stinklangweilig wie Richter.

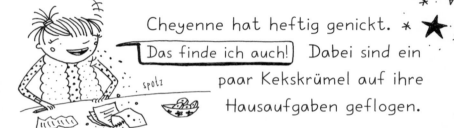

Cheyenne hat heftig genickt. Das finde ich auch! Dabei sind ein paar Kekskrümel auf ihre Hausaufgaben geflogen.

spolz

Und weißt du, wir können doch auch jetzt schon mal mit Üben anfangen! Nett zu sein, mein ich. Leuten und Tieren zu helfen, wenn andere fies zu ihnen sind!

Genau! So wie du das vorhin bei Laura gemacht hast. Das war toll!

hab ich gerufen.

„Bloß ..."

spolz

Plötzlich ist mir doch noch was **Gutes**
zum Richterberuf eingefallen:

Eigentlich hilft ein Richter ja auch
anderen, oder? Immerhin sorgt er
dafür, dass Verbrecher eingesperrt
werden. Und dann können sie
nichts Böses mehr machen.

Da hat Cheyenne aufgehört zu kauen.

Ja ... stimmt ... hat sie langsam gesagt und so geguckt,
als würde sie überlegen.

Aber meistens ... meistens labern
Richter den ganzen Tag nur
langweiliges und dummes Zeug!

spitz

Mit Schwung hat sie ihren
Schreibblock zugeklappt.

Deshalb gehen wir jetzt ins Tierheim.
Und helfen den armen Tieren!

Und das haben wir dann auch gemacht.

FREITAG, DER 1. JUNI

HEUTE WAR PAULS GROSSER TAG!

Schon frühmorgens haben wir uns am Bahnhof
getroffen, um mit dem Zug zum Flughafen nach
Großburg zu fahren.

Nachdem Cheyenne, Paul, Rémi und ich einen
Tisch im Großraumabteil ergattert hatten,
hat Paul nur noch vom Flughafen erzählt.

Dabei wollten Cheyenne und ich uns viel lieber
über **KALLE** und **ANTON** unterhalten.
Und darüber, was wir noch alles tun können,
damit wir unsere beiden Lieblinge endlich
geschenkt bekommen! Rémi hat verwirrt
zwischen uns hin und her geguckt. ☺

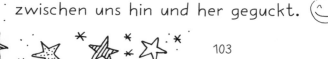

Arbeiten Kalle und Anton auch bei Flug'afen?
hat er mich schließlich gefragt.

hihi

Da musste ich lachen.

Klar! Anton hilft alten
Omas beim Koffertragen!

Aber da hat Paul erzählt, dass es wirklich Hunde
am Flughafen gibt. Nämlich beim **ZOLL**.
Dort, wo seine Mutter arbeitet.

Drogenspürhunde! Die
schnüffeln nach Rauschgift!

hat er gerufen und seine
Augen haben geleuchtet.

Gibt es eigentlich auch Käsespürhunde?
hab ich gefragt und geschnuppert.

Weil ich nämlich genau gerochen
hab, dass Rémi mal wieder ein Brot
mit Camembert dabeihatte.

Sofort hat er das Brot aus seinem Rucksack geholt und mir angeboten. 'Ast du 'Unger? hat er gefragt.

Aber da hab ich den Kopf geschüttelt und gesagt, dass er das Brot gerne später Emma geben darf.

Währenddessen hat Paul die ganze Zeit weitergeredet. Er hat fast genauso viel geredet wie Berenikes Vater über: blablablablablablabl blabla **Sprengstoffsuchhunde** und von blablab

blablabl blablabla **Schmuggel** und blabla **ZOLL** und blablabl blablablablablablablablablabla blablabla **Flughafen.** bla wieder nur vom blabla blablablablablablabla bl Bis wir in Großburg bla angekommen sind. blablabla

schnarch

OH MANN, PAUL! blabla

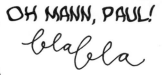

Mit dem Zug konnten wir bis in den Keller des
Flughafens fahren.

Und obwohl ich schon mal hier war, nämlich vor
ungefähr fünf oder sechs Jahren, als wir nach
Griechenland geflogen sind, konnte ich mich
überhaupt nicht mehr daran erinnern, wie groß
und **LAUT** so ein Flughafen ist!

Boah, das war voll aufregend!

Es waren so viele Leute unterwegs, dass Frau
Kackert ganz **nervös** geworden ist.

Stellt euch in Zweierreihen auf
und bleibt dicht beieinander!

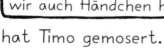

> In Zweierreihen? Das ist ja wie in der Grundschule, ey! Müssen wir auch Händchen halten?

hat Timo gemosert.

Und dann hat er nach Finns Hand gegriffen und Finn hat ihn geboxt und Timo hat zurückgehauen. **BoMM!**

Da hat Frau Kackert die beiden mal wieder **streng** angeguckt.

Paul ist vorneweg gelaufen und hat uns zu seiner Mutter geführt. Ich hab keine Ahnung, wie er den Weg gefunden hat, **ohne** sich zu verlaufen, echt!

Anzeigetafeln, auf denen überall
was anderes draufstand,

Schalter mit langen Menschenschlangen
und Koffern und schreienden Kindern davor.

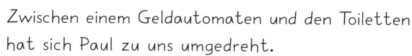

Zwischen einem Geldautomaten und den Toiletten
hat sich Paul zu uns umgedreht.

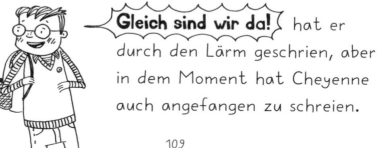

Gleich sind wir da! hat er
durch den Lärm geschrien, aber
in dem Moment hat Cheyenne
auch angefangen zu schreien.

Da ist meine Oma! Huhu, Omaramona! Huhu!

Und tatsächlich, **sie war es!** Die Frau aus dem *Tattoo-studio* mit den lila Haaren.

Also war sie WIRKLICH Cheyennes Oma. Ich hab ein bisschen gestaunt. So ganz hatte ich es nämlich doch nicht geglaubt.

Allerdings hat sie ihre Enkelin überhaupt nicht bemerkt. Sie ist nur vorbeigehastet in einem Kittel und mit so gelben Gummihandschuhen  an den Händen.

An ihrem nackten Knöchel konnte man das neue Tattoo sehen, einen **Delfin**. Also, den fand ich ja echt schön!

Was macht denn deine Oma hier? hab ich Cheyenne gefragt, aber die hat nur mit den Schultern gezuckt.

Keine Ahnung. Vielleicht arbeitet sie ja auch am Flughafen. Und vielleicht schenkt sie mir Kalle, wenn ich sie ganz doll bitte.

Dann war Omaramona auch schon wieder zwi-
schen den ganzen Menschen verschwunden.

Ich hab ihr noch hinterhergeguckt und gedacht,
dass ich froh bin, dass sie <u>nicht meine Oma</u> ist.
Weil sie nämlich echt voll komisch aussieht. Aber
natürlich hab ich kein Wort zu Cheyenne gesagt.

Oh Mann, war ich glücklich,
als wir endlich beim **ZOLL**
angekommen waren!

Pauls Mutter hat uns be-
grüßt und in einen großen
weißen Raum geführt. Da
gab es nur Stühle und ein
paar Bilder an den Wänden
mit Stränden und Palmen
drauf und es war ganz ruhig.
Das war richtig erholsam.

Wir durften uns auf die Stühle setzen und dann hat Frau Kohlhase uns erst mal so einiges erzählt. Nämlich, dass es am Flughafen ganz viele Sicherheitskontrollen gibt. Nicht nur alle Passagiere werden kontrolliert, sondern auch ihr Gepäck, weil es viele Dinge gibt, die man **nicht mitnehmen darf** auf eine Flugreise.

Was, meint ihr, darf niemals in den Koffer? hat Pauls Mutter gefragt und da hab ich mich schnell gemeldet.

Waffen

Drogen!

Und natürlich stimmte das!

Benzin

Wir haben zwar alle gelacht, aber es war richtig.

Anschließend sind wir in einen Raum gegangen, der voller Sachen war, die der Zoll beschlagnahmt hatte, weil man sie nicht mitnehmen durfte. **Und da** ━━━━━━━━━━━▶ **hab ich einen RIESENSCHRECK gekriegt, echt!**

Der Raum war nämlich bis
unter die Decke voll mit:

Riesenpackungen Zigaretten
und Tabletten

ganz vielen Pistolen
und Gewehren

gefälschten Uhren   und Sonnenbrillen
und Turnschuhen

Schmuck   und Handtaschen
und Portemonnaies

und vor allem **(das war das
SCHLIMMSTE überhaupt!!!)**
lauter ausgestopften TIEREN!

Krokodilen,

Schlangen,

Schildkröten ...

STOP

Leoparden- und Zebrafellen

und sogar ein ganzer
Tigerkopf lag im Regal ...

ein großer Haufen Stoßzähne
von Elefanten ...

Es war einfach grauenvoll!

Allerdings gab es komischerweise auch einen
ganzen Stapel mit Musikinstrumenten,
von denen einige ziemlich
indisch ausgesehen
haben.

Zebrafell

Schlangenhaut

Schildkröten-
panzer

Da liegt Lottas Blockflöte. Ich hab's ja
immer gewusst, dass die verboten gehört!

hat Hannah gerufen.

Natürlich haben alle gelacht, HAHAHAHA!
aber ich hab mich nur gewundert und
zum Vergleich **meine eigene Flöte**
aus der Tasche gezogen.

 beschlagnahmte Flöte

Boah, ist Frau Kackert da aber blass geworden!

Steck die schnell wieder ein! hat sie voll
hektisch gerufen und Frau
Kohlhase einen alarmierten
Blick zugeworfen.

Und lass sie in deiner Tasche, solange wir uns auf dem Flughafengelände befinden! Nicht dass wir noch Ärger mit dem Zoll oder der Polizei bekommen!

Also, ganz ehrlich, da war ich
plötzlich ziemlich erschrocken.
Mir ist ja überhaupt nicht klar
gewesen, wie gefährlich meine
Blockflöte wirklich ist!

Anschließend hat uns Pauls Mutter wieder in den weißen Raum gebracht, wo wir Mittag essen durften. Mama hatte mir ein Brot, einen Apfel, Saft und einen Schokoriegel mitgegeben,

Kürbiskern-Maisbrot  ← Linsen-Mango-Aufstrich

aber es gab auch einige in der Klasse, die nichts dabeihatten.

> Ich geh raus und kauf mir was

hat Maurice erklärt und ist von seinem Stuhl aufgestanden.

Aber Frau Kackert hat ihn nicht aus dem Raum gelassen. Natürlich damit er nicht verloren geht. **Streng** hat sie über ihre Brille geguckt.

> Jeder sollte sein eigenes Picknick mitnehmen. So, wie wir es gestern besprochen haben.

> Aber ich hab Hunger!

hat Maurice sich beschwert.

> Dein Pech!

hat Liv-Grete gerufen, die eine ganze Tasche mit Essen dabeihatte.

Dann hat sie den **LÄMMER-GIRLS**
ein paar Weintrauben angeboten.

 Und Cheyenne hat mit ihrer
Tüte Chips rumgeknistert.

Danach musste Frau Kohlhase wieder arbeiten
und Frau Kackert ist mit uns noch zu einer Aus-
sichtsplattform gegangen, von der aus man die
ganzen Flugzeuge starten

und landen sehen konnte.

☆ Mann, wär ich da gerne mitgeflogen!

Irgendwohin in den Süden auf eine Insel mit
Palmen drauf und einem weißen
Strand voller Muscheln ...

Vielleicht kann ich mir ja auch so eine Reise zum
Geburtstag wünschen. **Aber natürlich nur,
wenn ich ♡ANTON nicht haben darf!!!**

Bevor wir in den Zug nach Hause gestiegen sind, mussten Cheyenne und ich noch mal zum Klo.

Und da haben wir schon wieder Omaramona getroffen. Die hat gerade an einem Spiegel rumgewischt.

Cheyenne hat sich total gefreut, sie zu sehen.

Hallo, Oma! hat sie gerufen.

Was machst du denn hier?

Das siehst du doch. Putzen

hat ihre Oma mit total rauer Stimme geantwortet.

Das hat sich ein bisschen **gruselig** angehört.

Und da hat Cheyenne wahrscheinlich selbst gemerkt, dass es nicht der richtige Moment war, um sie nach **KALLE** zu fragen.

fiep

bunk bunk

Deshalb sind wir nur aufs Klo gegangen.

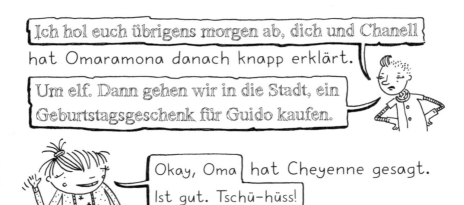

Ich hol euch übrigens morgen ab, dich und Chanell

hat Omaramona danach knapp erklärt.

Um elf. Dann gehen wir in die Stadt, ein
Geburtstagsgeschenk für Guido kaufen.

Okay, Oma hat Cheyenne gesagt.
Ist gut. Tschü-hüss!

Und dann sind wir mit unserer Klasse nach Hause gefahren. Im Zug waren wir alle ganz schön müde. Nur Paul hat noch überlegt, was er später mal machen will.

Vielleicht werde ich Pilot.

Oder doch Richter

chrrr

zzz

hat er gesagt und dabei so träumerisch geguckt.

Aber ich hatte keine Lust mehr, über Berufe nachzudenken. Deshalb hab ich lieber die Augen zugemacht und bin sogar ein bisschen eingeschlafen.

schnarch

Später beim Abendbrot hab ich Mama, Papa und meinen **BlödbrüDern** dann ganz viel vom Flughafen erzählt. ☺ Ich glaub, Jakob und Simon waren ein bisschen neidisch. Jedenfalls hat Jakob ein langes Gesicht gezogen.

MennO. Und wir haben nur die blöde Mathearbeit zurückgekriegt.

Aber da hat Simon ihn erschrocken angeguckt und Pssst! gemacht.

Danach hat er einen vorsichtigen Blick zu Papa rübergeworfen. Aber es war schon zu spät.

Mathearbeit? hat Papa gefragt.

kecker

Als ich dann abends im Bett lag, hab ich ganz doll versucht, nicht mehr an **ausgestopfte Tiere**

und **gefährliche Blockflöten** zu denken,

sondern nur noch an ANTON.

Meinen süßen Anton mit seinem welligen Fell, den ich mir so sehr zum Geburtstag wünsche!

Und es hat geklappt! Weil ich nachts sogar von ihm geträumt hab. Und er war **quicklebendig!**

ZUM GLÜCK!

SAMSTAG, DER 2. JUNI

Seit heute ist unsere **Projektwoche** vorbei. Und das ist auch gut so. Ich finde nämlich, dass ich langsam genug Eltern bei der Arbeit zugeguckt hab. Von ganz vielen weiß ich jetzt, was sie machen. Nur komischerweise von Mama nicht.

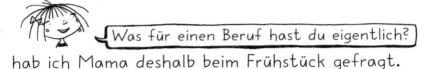

Was für einen Beruf hast du eigentlich? hab ich Mama deshalb beim Frühstück gefragt.

Einkäuferin! hat Jakob da gerufen und da haben HAHAHA! wir alle gelacht. Also, alle außer Mama und Papa natürlich.

höhöhö

Dann hat Mama erklärt, dass sie früher Sozialversicherungsfachangestellte war. Bis zu meiner Geburt. Da hab ich nicht weiter nachgefragt. Und zwar weil sich das ein bisschen langweilig angehört hat. Und weil das sowieso schon Ewigkeiten her ist.

gähn

Ich hab lieber erzählt, dass Cheyenne heute ihre Oma fragt, ob sie Kalle haben darf.

Weil man seine Eltern ab und zu daran erinnern muss, dass man selbst auch schrecklich gern einen bestimmten Hund haben möchte!

Aber Mama und Papa haben nur gestöhnt und anschließend über was anderes gesprochen.

fiep   fiep   **Menno.**   stöhn

Nach dem Frühstück ist Mama dann mit den Jungs und mir in die Stadt gegangen, weil wir alle drei neue Hosen brauchten.

Meine Jeans war zu kurz geworden

und die von Jakob und Simon hatten Löcher an den Knien. Wie bei Kleinkindern, echt!

Meine **BrüDer** haben schnell neue Hosen gefunden,
aber ich konnte mich gar nicht entscheiden.
Weil es nämlich bei **HERING & HAUBITZ**
gleich ein paar Hosen gab, die ich
schick fand und anprobieren musste.
Und da sind die Jungs irgendwann **MAULIG** geworden.

 (Laaaangweilig!) hat Simon gestöhnt.

(Mann, bist du endlich mal so weit?)
hat Jakob genölt.

Aber da hat Mama gesagt, wenn sie mich nicht
in Ruhe Hosen probieren lassen, dann gehen wir
nachher nicht zur **OSTSEE** zum Essen. Und da
haben die Jungs nichts mehr gesagt, denn bei
der **OSTSEE** gibt es (Kindertüten) →
mit Fischstäbchen und Pommes
und so einem Plastikspielzeug drin
und das finden die beiden immer toll.

 Stattdessen sind sie irgendwo
im Laden verschwunden.

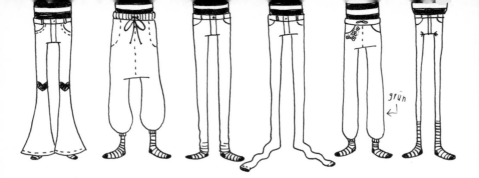

grün
←

Weil ich am Ende immer noch zwei Hosen total
schön fand und nicht wusste, welche ich nehmen
sollte, hat Mama geseufzt.

seufz

Und dann hat sie gesagt, dass
ich beide haben darf. Aber nicht
so schnell wieder rauswachsen!

Da bin ich ihr um den Hals gefallen.
Danke, Mama! hab ich gerufen,
weil das ja echt nett von ihr war!

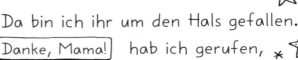

Anschließend hat sie bezahlt und mir
die Tüte in die Hand gedrückt und ich
hab reingeguckt und mich gefreut.

HE RI NG
&
HAVBITZ

Weil meine neue Jeans echt schick war und die
GRÜNE HOSE mit den aufgestickten Blumen
oben an der Tasche erst recht.

Wo sind Jakob und Simon?

hat Mama dann gefragt und
sich umgeguckt. Zuerst hab ich
die beiden auch nicht gesehen.

Bis sie hinter einem Kleiderständer hervorkamen
und **BUH!** gemacht haben.

Jakob hatte so eine fusselige blaue Strickjacke und blaue Stiefel an, mit denen
er ausgesehen hat wie das Krümelmonster, und Simon hat ein silbernes Glitzerkleid
getragen und einen Hut mit Federn dran und eine riesige Sonnenbrille.

Damit sind beide vor der Kasse auf und ab
stolziert. Mama und ich mussten lachen und ein
paar andere Kunden auch, aber die Verkäuferinnen
haben irgendwie
voll **nervös** geguckt.

Ich glaub, Verkäuferin will
ich auch nicht werden.

Als wir endlich bei der **OSTSEE** waren, haben sich Jakob und Simon eine Kindertüte ausgesucht und ich auch. Und als wir dann nach einem freien Tisch gesucht haben, ist noch was 𝕋𝕆𝕃𝕃𝔼𝕊 passiert:

Wir haben nämlich **Cheyenne** und **Chanell** getroffen! Die waren auch hier — zusammen mit **Omaramona!**

Cheyenne hat gequietscht, als sie mich gesehen hat. Sie ist aufgesprungen und mir um den Hals gefallen und da wären die Kindertüte und die Apfelsaftschorle auf meinem Tablett fast runtergefallen.

Was macht ihr denn hier?

hat sie gejubelt und gesagt, dass Chanell und ihre Oma mal ein bisschen Platz machen sollen, damit wir uns dazusetzen können.

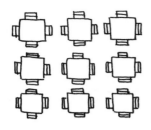

Aber es war immer noch zu eng für vier Leute mehr, deshalb haben wir uns an den (Tisch) direkt daneben gesetzt.

Dann hab ich Cheyenne von den neuen Hosen erzählt und ihr meine beiden gezeigt.

knorsch

Dabei hab ich immer wieder zu ihrer Oma rübergeguckt. Und zwar weil sie ihre Ärmel hochgeschoben hatte und man sehen konnte, dass ihre (Arme) auch tätowiert waren — so wie bei Herrn Lundelius.

Nur dass Herr Lundelius lauter Tiere auf den Armen hat und keine verschnörkelten Blumen und chinesischen Zeichen oder was das sein sollte.

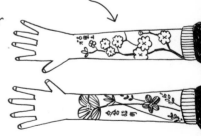

Cheyenne fand meine Hosen schön.
Oooh, so eine grüne will ich auch!

Und Chanell hat erklärt, dass sie gerade was für
ihren Papi gekauft haben.

> Weil er heute Geburtstag hat!

Und dann ist ihr ein Fischstäbchen
mit ganz viel Remoulade dran
auf den Schoß geklatscht.

flatsch

OMAAA! hat sie gejammert.

> Ey, ich hab schon tausend Mal gesagt,
> ihr sollt mich nicht immer Oma nennen!

hat Omaramona da mit ihrer kratzigen
Stimme geschimpft. > Ich bin Ramona und fertig!

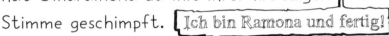

> Aber du bist doch unsere Oma hat
Cheyenne gesagt und frech gegrinst.

ALSO, DAS HÄTTE ICH MICH NICHT GETRAUT.

Und zwar weil Omaramona **voll grimmig** geguckt
hat mit ihren lila Stoppelhaaren
und den Tätowierungen.

> Fast so grimmig wie ihr Sohn.

Guten Appetit! hat Mama in dem Moment gesagt und etwas irritiert zum Nebentisch rübergeschaut. Wahrscheinlich weil sie Omaramona auch merkwürdig fand.

Lasst euren Fisch nicht kalt werden.

schluck

Und dann hab ich erst mal meine Kindertüte aufgemacht. Meine Brüder hatten ihre natürlich längst aufgerissen. In allen drei Tüten war ein Flummi drin, der nicht nur hüpfen,

ditsch

sondern auch **funkeln** kann, wenn man ihn auf den Boden wirft. **Cool!**

Klar, dass meine **Blödbrüder** die nächsten Minuten erst mal damit beschäftigt waren, unter den Tischen anderer Leute nach ihren Flummis zu suchen, weil die ihnen sofort weggesprungen sind.

Während ich angefangen hab zu essen, hat Cheyenne mit ihrer Oma geredet. Ramona, hat sie so schmeichelnd gesagt, ich hab dir doch von dem süßen Hund erzählt, den ich so schrecklich gerne mag. Von Kalle. Darf ich den vielleicht haben? Bitte, bitte! Guck mal, so sieht der aus, mein Kalle. Ist der nicht süß?

Und sie hat Omaramona ihr Fotohandy unter die Nase gehalten.

Da hat Ramona zum ersten Mal gelacht mit ihrer rauen Stimme. Haha! Da fragst du die Falsche, Schätzelein. So was können nur deine Eltern entscheiden. Schließlich müssen die sich dann auch um das Tier kümmern.

Aber Oma, ich kümmer mich um Kalle, wirklich, ich ganz alleine, großes Ehrenwort! Ich hab ihn doch so furchtbar lieb!

Ganz alleine? Das kannst du überhaupt noch nicht. Dafür bist du noch zu jung.

Ein bisschen ruppig hat Omaramona Cheyennes Wange getätschelt.

pitsch
pitsch
pitsch

Und dann ist etwas **GRUSELIGES** passiert. Cheyennes Oma hat nämlich plötzlich zu mir gesagt:

Hey, du! Willst du heute Abend nicht auch zu Guidos Party kommen? Dann sind die beiden Mädchen nicht so allein unter lauter Erwachsenen.

Au ja!

Also, da ist mir echt ein bisschen heiß und kalt geworden! „Öhm ... das geht leider nicht", hab ich schnell gesagt, weil ich gemerkt hab, dass ich überhaupt keine Lust dazu hatte, zu Guidos Geburtstagsfeier zu gehen!

Weil wir nämlich ... wir gehen heute Abend schon ins Kino!

Natürlich haben meine Brüder sofort losgejubelt.

Echt, Mama? Krass!

Welchen Film schauen wir uns denn an? hat Jakob gefragt und gestrahlt und vor lauter Aufregung ist ihm schon wieder sein Flummi weggehüpft.

Mama hat ein bisschen gequält geguckt, aber sie hat mitgespielt. Wahrscheinlich weil sie auch nicht wollte, dass ich abends noch zu Cheyennes Papi gehe. *Na, diesen ... diesen Film mit diesem Schauspieler ... das müsst ihr doch selbst wissen! Ihr habt ihn schließlich ausgesucht* hat sie dann gesagt.

Leider wusste ich nicht, welche Filme zurzeit im Kino laufen. Deshalb hab ich mich an die Jungs gewandt. Wir wollten doch den Film sehen ... den, also von dem ihr immer gesprochen habt, den mit den ... Raumschiffen und so hab ich voll **stotterig** gesagt.

QUINN UND DUCKFACE RETTEN DIE GALAXIE! COOOOL! haben beide wie aus einem Mund geschrien. Und das fand ich auch cool.

Obwohl mir ganz schön mulmig im Bauch geworden ist vor lauter schlechtem Gewissen. Weil ich gerade meine beste Freundin angelogen hatte.

Aber ich wollte wirklich NICHT zu Guidos Geburtstag gehen! ICH MAG IHN EINFACH NICHT!!!

Und so sind die Jungs und ich abends tatsächlich zusammen ins **KINO** gegangen. Eigentlich war es noch gar nicht Abend, sondern erst Viertel nach fünf. Und obwohl ich mich nicht für Raumschiffe und so was interessiere, war der Film voll **lustig.**

Am besten fand ich den süßen, kleinen (Außerirdischen), der Quinn und Duckface immer ge-ärgert hat.

Quinn →

→ Duckface

Und ein bisschen stolz war ich auch auf mich. Weil ich nämlich zwei Fliegen mit einer Klappe geschlagen hatte: **Ich musste nicht zu Guido und durfte stattdessen ins Kino gehen!**

Ich bin guuut!

135

SONNTAG, DER 3. JUNI

grüner Smoothie ←

Granola-Pancake →

Vollkorn-Schokohörnchen →

Nach dem Sonntagsfrühstück bin ich heute gleich zu Cheyenne gelaufen, weil wir ja noch einen letzten Bericht schreiben mussten. In dem sollte auch stehen, welchen Beruf wir am besten fanden und warum und ob wir uns vorstellen können, später auch mal so was zu machen.

Aber erst mal hat Cheyenne von **GUIDOS GEBURTSTAG** erzählt.

Mann, war das eine blöde Party, ey

hat sie sich beschwert.

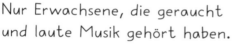

Nur Erwachsene, die geraucht und laute Musik gehört haben.

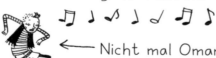

← Nicht mal Omaramona hat irgendwas mit uns zusammen gemacht.

Und Papi hat die ganze Zeit mit seinen Brüdern Detlef und Bert und noch so ein paar anderen in der Küche gestanden und Bier getrunken.

Da hat mir Cheyenne total leidgetan.

Sofort hatte ich wieder ein **SCHLECHTES GEWISSEN**, weil ich nicht mit ihr zu der Feier gegangen bin, sondern lieber ins Kino. Aber trotzdem war ich auch erleichtert, dass ich nicht dabei sein musste. Echt!

Anschließend haben wir uns an den Bericht gemacht. „Also, ich fand es jedenfalls im Tierheim am besten", hat Cheyenne gesagt, als sie ihren Block aus der Schultasche gezogen hat.

Die Arbeit macht am meisten Spaß und man kann Tieren helfen.

☆ Das fand ich auch, aber ich hatte noch eine andere Idee. Ich könnte aber auch beim **ZOLL** arbeiten und die Verbrecher fangen, die ausgestopfte Tiere im Koffer haben. Und du wirst Richterin und steckst sie anschließend ins Gefängnis. Lebenslang und jeden Tag gibt's zur Strafe ein Blockflötenkonzert!

Denn das hatten solche fiesen Mörder und Schmuggler verdient, aber so was von!

Cheyenne fand die Idee allerdings nicht so gut.

Och nöö ... Wenn schon, dann arbeite ich beim **ZOLL** und **du** wirst Richterin.

> Und ich will ganz viele Tattoos haben. So wie Oma-Aroma!
> **Und einen echten Hund!**

hat Chanell dazwischengerufen.

Da hat Cheyenne sich gegen die Stirn gehauen.

Mann, Mann, Chanell ist aber auch echt nicht besonders schlau. Schließlich sind das ja gar keine Berufe!

Als wir fertig waren, sind wir wieder zum **TIERHEIM** gelaufen.

> Schließlich musste ich unbedingt meinen **ANTON** wiedersehen und Cheyenne ihren **KALLE!**

Und weil Sandra nicht zu Hause war, haben wir auch Chanell mitgenommen.

Während wir ihr alle Tiere gezeigt haben, ist etwas **Erstaunliches** passiert.

Chanell ist nämlich vor Amanda stehen geblieben und wollte nicht mehr weggehen.

Amanda ist die Blaustirn-Amazone, die keine Federn mehr am Hals hat.

Der arme Papagei

hat Chanell geflüstert und da hab ich gesehen, dass sie Tränen in den Augen hatte.

Cheyenne hat aufgehört zu reden und ich hab auch nichts mehr gesagt. Weil es nämlich was ganz Besonderes ist, wenn Chanell nicht rumschreit, sondern flüstert. Und weil wir gemerkt haben, dass sie gerade genau das Gleiche erlebt wie Cheyenne und ich, als wir ♡ Anton und Kalle kennengelernt haben.

Ich glaub, Chanell hat sich auch sofort in Amanda verliebt!

Weil Herr Lundelius heute nicht da war, hat
Jule, die ja auch hier arbeitet, uns ganz viel
über Papageien und besonders über Amanda
erzählt. Chanell hat ihr andächtig
zugehört und wollte
immer mehr wissen.

Amanda:
* kann Handyklingeln nachmachen
* darf nicht mehr allein gehalten werden
* braucht viel Sonnenlicht und Platz
* kann Nüsse mit dem Schnabel knacken
* schreit laut am Morgen und am Abend

Aber irgendwann mussten wir natürlich auch unsere Hunde begrüßen. Ich bin zu Anton gelaufen
und er ist am Gitter hochgesprungen und hat
mir die Hände geleckt und vor Freude gefiept.
Da ist mir ganz warm geworden und ich hab mir
gewünscht, dass Mama und Papa auch mal mit
hierherkommen und sehen, wie furchtbar gern
wir uns haben, Anton und ich. Weil sie dann ja
vielleicht doch erlauben, dass ich ihn haben darf.

Zum Beispiel zu meinem
GEBURTSTAG
in achtzehn Tagen!

fiep
fiep

Doch in dem Moment ist mir fast das Herz stehen geblieben. Und zwar weil Cheyenne einen **schrecklichen SCHREI** ausgestoßen hat.

KALLE! hat sie geschrien und da bin ich aufgesprungen und zu ihr gelaufen und hab es auch gesehen:

KALLES KÄFIG WAR LEER.

Völlig leer. Sogar sein ganzes Spielzeug war weg.

In diesem Moment kam Jule um die Ecke gelaufen.

Cheyenne hat sie total mitleidig gesagt und meine beste Freundin fest in den Arm genommen.

Es tut mir leid, ich weiß, ich hätte es dir gleich sagen müssen. Aber Kalle ist heute Morgen abgeholt worden. Er hat ein neues Zuhause gefunden.

NEIN! NEIN! NEIN!

hat Cheyenne gebrüllt und

WAAAHAHAHAHAAAAAAAAAAAAA so **SCHRECKLICH GEWEINT**, wie ich sie noch nie hab weinen sehen.

SCHLUHUHUHUHUHUCHZ

Ich hatte das Gefühl, dass jemand mein Herz zusammenquetscht, und da hab ich auch 😞 angefangen zu weinen.

BUHUHUUU

Schnell hab ich Cheyenne von der anderen Seite umarmt. **SIE HAT MIR SO FURCHTBAR LEIDGETAN!**

SCHLUHUHUUUZ

WAHAHAHAAA

Dann ist auch noch Chanell dazugekommen und hat ihre Arme um uns geschlungen und es war alles einfach nur **schrecklich unfair!**

BUHUH

Als wir schließlich wieder nach Hause gegangen sind, hab ich mich nicht einmal mehr von Anton verabschiedet. Weil ich mich die ganze Zeit nur um Cheyenne kümmern musste. Den ganzen Weg zurück hat sie geweint, während Chanell keinen Ton von sich gegeben hat. Sie ist nur still und stumm neben uns hergeschlichen.

Und ab und zu hat sie Cheyenne ganz sanft berührt.

schluchz   schluhuhuchz

Aber nichts konnte meiner armen Freundin helfen. Gar nichts.

Zum Glück war Sandra zurück in
der Wohnung, als wir ankamen.
Nachdem sie gehört hatte,
was passiert war, hat sie
Cheyenne ganz lieb getröstet.

heul

Zumindest hat sie es versucht.

Aber Cheyenne war so furchtbar traurig, dass es
nichts gab, was sie trösten konnte.

Anschließend haben wir alle zusammen im Wohnzimmer gesessen und wussten nicht mehr, was
wir tun sollten. **Denn was kann man schon
machen, wenn man den Hund, den man so
furchtbar lieb hat, vielleicht nie,
NIE wiedersehen kann?**

Sandra hat Cheyenne im Arm gehalten wie ein
kleines Kind und Chanell und ich haben auf zwei
Sesseln gesessen und nichts gesagt.

In der Wohnung war es ganz still und trostlos.
Nur Cheyenne hat wieder und wieder geschluchzt.

Doch dann hat es an der Tür geklingelt.
Ich hab zu Sandra und Chanell rübergeguckt.
Keine von beiden hat ausgesehen, als wollte
sie aufmachen.

Aber schließlich hat sich Sandra
doch aufgerappelt. Und da ist
auch Chanell aufgesprungen.

Sie sind in den Flur gegangen und
haben die Wohnungstür geöffnet.
Anschließend war es einen kleinen
Moment lang wieder still.

Bis Chanell plötzlich losgebrüllt hat:  **Cheyenne!**

Cheyeeeeenne! Komm sofort her!

 Da hat Cheyenne den Kopf gehoben und mich angestarrt mit total roten Augen.

Und dann sind wir auch aufgesprungen und aus dem Wohnzimmer gerannt.   flitz

In der Wohnungstür stand [Omaramona].

Und sie war nicht allein. Denn in ihrem Arm lag tatsächlich **KALLE**

Cheyennes allerliebster Lieblingshund.

Einen Augenblick lang hat niemand was gesagt.

Wir haben alle nur nach Luft geschnappt und Cheyenne hat die Hände vor den Mund geschlagen.

„Hier, Süße", hat Ramona dann gesagt und
Kalle in ihre Arme gedrückt.

Das ist doch dein Kalle,
oder? Jetzt gehört er dir.

Und dann hat sie nur dagestanden mit ihren
komischen lila Haaren und ihren Tätowierungen
und den Händen in den Taschen von ihren zer-
löcherten Hosen und hat ganz lieb gelächelt.

Ich glaub, Cheyenne wollte Danke sagen. 😊
Aber das ging nicht, weil sie nur fiepen konnte.
Und das konnte ich gut verstehen. Weil mir
selbst ganz überwältigt zumute war.

Stattdessen hat Sandra was gesagt. Und das kommt bei ihr ja eher selten vor. „Ramona", hat sie gekeucht und ihre Stimme klang ziemlich entsetzt. Bist du denn völlig verrückt? Du ... du kannst ihr doch nicht einfach einen Hund schenken. Das geht nicht. In unserer kleinen Wohnung ist nicht genug Platz für einen Hund. Das hab ich Cheyenne schon tausend Mal erklärt ... und da kommst du hierher mit dem Hund ... das kannst du doch nicht ... das geht einfach nicht ...

Aber da hat Omaramona ihr eine Hand auf die Schulter gelegt.

Ach, Sandra, mach dir mal nicht ins Hemd. Das weiß ich doch alles. Deshalb wird Kalle auch bei mir wohnen. Ich lebe alleine und in meiner Wohnung ist noch genug Platz für einen Hunde-korb. Allerdings ...

und jetzt hat sie sich wieder an Cheyenne gewandt und ein bisschen **streng** geguckt,

... ist Kalle wirklich **dein** Hund, Cheyenne. Und ich erwarte von dir, dass du jeden Tag mit ihm Gassi gehst und dich gut um ihn kümmerst.

Da hat Sandra sie nur noch angestarrt, und zwar ziemlich überrascht.

Dann hat sie ganz langsam angefangen zu lächeln.

Und Cheyenne hat im Flur gestanden, Kalle an
sich gepresst, ihr Gesicht in sein Fell gedrückt
und schon wieder ganz fürchterlich geweint.
Aber dieses Mal vor lauter **HUNDEGLÜCK**.

Danke, Oma!
Danke, danke,
danke! schluchz

Du sollst mich nicht
immer Oma nennen

hat Omaramona mit ihrer kratzigen Stimme
gesagt. Aber diesmal hat sie dabei gegrinst. Und
ich musste auch grinsen. Übers ganze Gesicht. ◡
Denn jetzt gehört Kalle wirklich Cheyenne. Und
ich hab mich so schrecklich doll für sie gefreut,
als hätte ich selbst einen Hund bekommen!

Als ich mich abends total glücklich in mein Bett
gekuschelt hab, musste ich immer wieder an

CHEYENNE
UND KALLE
denken.

Und an **ANTON** natürlich.

Aber auch an OMARAMONA.

 Und dabei hat es mir ein bisschen
im Bauch gegrummelt.
Weil ich sie ja immer so **komisch**
fand und eigentlich nicht besonders gern gemocht hab.

Und dann hab ich heute mit einem Mal ge-
merkt, dass sie total lieb ist. Auch wenn sie lila
Haare hat und einen nicht so schönen Beruf und
eine Stimme, vor der man sich gruseln kann.
Aber sie hat Cheyennes allerallergrößten
Wunsch erfüllt. **So eine tolle Oma ist sie!**

MONTAG, DER 4. JUNI

Natürlich bin ich heute nach der Schule sofort mit Cheyenne zu **Omaramona** gelaufen.

Sie wohnt in der Nähe des **Stadtpark**s und wir haben uns echt darauf gefreut, sie zu sehen.

Aber noch mehr haben wir uns natürlich auf **KALLE** gefreut.

Und Kalle hat sich auch riesig gefreut, Cheyenne zu sehen! Ich glaub, er hat jetzt schon gemerkt, dass er wirklich **ihr Hund** ist!

Natürlich wollten wir wieder zum **TIERHEIM** laufen, zu Anton, und da hat Cheyenne vorge-schlagen, dass wir Chanell mitnehmen. Damit sie Amanda besuchen kann.

?? Also, da hab ich mich schon ein bisschen gewundert. Weil Cheyenne ihre kleine Schwester noch nie freiwillig irgendwohin mitgenommen hat.

Aber sie redet nur noch von Amanda, Tag und Nacht. Deshalb muss sie sie unbedingt mal wiedersehen.

seufz

Amanda kann Nüsse knacken ...

Amanda kann ...

Das fand ich ja jetzt echt lieb von meiner besten Freundin! Wahrscheinlich war sie wegen Kalle gerade so glücklich, dass sie sogar ihrer Schwester ein bisschen TIERGLÜCK abgeben wollte.

Den ganzen Nachmittag lang sind wir mit Chanell, Kalle und Anton spazieren gegangen.

Und dann musste ich meinen süßen Anton leider
wieder abgeben  und wir sind
nur mit Kalle
zurückgelaufen.

Chanell ist ein Stück hinter uns hergetrödelt und
hat gar nichts gesagt. So als ob sie nachdenkt.

Erst als wir fast schon
wieder zu Hause waren,
kam sie mit einem Mal
von hinten an und
hat nach Cheyennes
Hand gegriffen. Cheyenne, ich möchte so schrecklich dolle gerne Amanda haben hat sie gepiepst.

Da hat Cheyenne geseufzt und ihr erklärt, dass
das nicht geht. Das weißt du doch, Chanell.
Omaramona kann nicht auch noch
einen Papagei bei sich aufnehmen.
So groß ist ihre Wohnung nicht.

Aber vielleicht ja doch! Ich möchte auch so gerne ein Tier haben. Ein eigenes Tier. Nämlich Amanda.

Und da hat Cheyenne nichts mehr gesagt. Und ich auch nicht. Weil wir ja wissen, wie es ist, wenn man sich so richtig von Herzen ein Tier wünscht. **ANTON**

Aber Chanell hat trotzdem immer weitergeredet.

Ich frag Oma gleich sofort, ob ich Amanda haben darf. Ich will Amanda so gerne! Entweder Amanda —

oder ein echtes Einhorn.

Da ist Cheyenne stehen geblieben. Wieder hat sie tief geseufzt.

hmpf

hat sie dann gesagt.

empört gequiekt.

In dem Augenblick waren wir auch schon unten an Omaramonas Haustür angekommen.

Und da hab ich schnell gesagt und bin nach Hause gegangen. Weil ich nämlich nicht hören wollte, dass Chanell weint, weil sie Amanda nicht haben darf.

Denn eigentlich ist Chanell ja ganz lieb, auch wenn sie wirklich noch zu klein für ein eigenes Tier ist.

Aber ich ... **ich bin nicht zu klein.**
Da bin ich mir ganz sicher! **Denn:**

Immerhin habe ich in zweieinhalb Wochen **Geburtstag.**

Und niemand hat ANTON lieber als ich!

Ich würde **jeden Tag** mit ihm spielen

und natürlich **Gassi** gehen.

Außerdem dürfte er bei mir **im Zimmer schlafen** und da ist es tausendmal schöner als im Tierheim!

schnarch

schnarch

Also, eigentlich ist es doch schon völlig klar, dass **Anton zu mir gehört**, oder?

😐 Bloß Mama und Papa haben das leider noch nicht so ganz kapiert. Und deswegen muss ich sehr bald mal ein ernstes Wörtchen mit ihnen reden! **Sie müssen endlich begreifen, wie wichtig Anton für mich ist. ABER WIE NUR?**

In dem Moment hab ich an meine **indische** Block-flöte gedacht, die ich in der letzten Zeit voll wenig benutzt hab. Und mit der man Schlangen und andere Sachen **beschwören** kann ...

aruuh!

wuff!

Ich glaub, ich muss die jetzt wirklich ganz dringend mal an meinen Eltern ausprobieren!

Und außerdem ... außerdem haben Cheyenne und ich uns ja fest vorgenommen, ganz viel Gutes zu tun. Nicht nur später, wenn wir mal einen Beruf haben, sondern auch jetzt schon. Und was gibt es Besseres, als einen armen Hund aus dem Tierheim zu retten?

Anton, ich kämpfe für uns, keine Gnade!
GROSSES HUNDEEHRENWORT!

wuff!

Alice Pantermüller
Poldi und Partner

Immer dem Nager nach

Großalarm in Tommis Tierparadies: Meerschweinchen Poldi wird verkauft und muss zu den Menschen ziehen – und die sind böse, ganz schön böse! Um Poldi vor dem sicheren Niedergang zu retten, folgen ihm seine Freunde Mimi, Harro, Parker, Bibo und Serafine kurzerhand in die Wildnis der Stadt! Auf ihrer rasanten Rettungsmission begegnen der bunten Tierbande neben einem Waschbären mit Waschzwang auch zahlreiche Brüllaffen-Kinder – und mindestens genauso viele Meerschweinchen. Doch keins davon ist Poldi. Wo steckt der Nager nur?

Ein Pinguin geht baden

Platsch! Meerschweinchen Poldi traut seinen Augen nicht: Plötzlich schwimmt da ein flauschiges Etwas in der Badewanne neben seinem Gehege. Wo im Himmel kommt das kleine Tier nur her? Während Schildkröte Serafine das niedliche Wollknäuel am liebsten adoptieren möchte, wittert Äffchen Parker sofort ein großes Abenteuer. Das kleine Ding kommt bestimmt aus dem Dschungel! Und dahin müssen Poldi und seine Partner es unbedingt zurückbringen. Koste es, was es wolle! Doch das ist gar nicht so einfach.

160 Seiten • Gebunden
ISBN 978-3-401-60274-5
Auch als Hörbuch
bei Arena audio

160 Seiten • Gebunden
ISBN 978-3-401-60302-5
www.arena-verlag.de